La collection
**RÉVERBÉRATION**
est dirigée par

# Tatouages

DE LA MÊME AUTEURE

*Détails*, nouvelles, Québec, L'instant même, 1993.
*Pornographies*, nouvelles, Québec, L'instant même, 2002.
*Relire Angéline de Montbrun au tournant du siècle*, essai,
    E.D. Blodgett et C. Potvin dir., Québec, Nota Bene, 2006.

CLAUDINE POTVIN

# TATOUAGES

*nouvelles*

Lévesque éditeur

RÉVERBÉRATION

Catalogage avant publication
de Bibliothèque et Archives nationales du Québec et Bibliothèque et Archives Canada
Potvin, Claudine
Tatouages : nouvelles
(Réverbération)
ISBN 978-2-924186-58-9
I. Titre. II. Collection : Réverbération.
PS8581.O832T37 2014              C843'.54              C2014-941621-0
PS9581.O832T37 2014

Lévesque éditeur remercie le Conseil des arts du Canada (CAC)
et la Société de développement des entreprises culturelles du Québec (SODEC)
de leur soutien financier.

Lévesque éditeur
11860, rue Guertin
Montréal (Québec) H4J 1V6
Téléphone : 514.523.77.72
Télécopieur : 514.523.77.33
Courriel : info@levesqueediteur.com
Site Internet : www.levesqueediteur.com

Dépôt légal : 3ᵉ trimestre 2014
Bibliothèque et Archives Canada
Bibliothèque et Archives nationales du Québec
ISBN 978-2-924186-58-9 (édition papier)
ISBN 978-2-924186-59.6 (édition numérique)

**Distribution au Canada**
Dimedia inc.
539, boul. Lebeau
Saint-Laurent (Québec) H4N 1S2
Téléphone : 514.336.39.41
Télécopieur : 514.331.39.16
www.dimedia.qc.ca
general@dimedia.qc.ca

**Distribution en Europe**
Librairie du Québec
30, rue Gay-Lussac
75005 Paris
Téléphone : 01.43.54.49.02
Télécopieur : 01.43.54.39.15
www.librairieduquebec.fr
libraires@librairieduquebec.fr

Production : Jacques Richer
Conception graphique et mise en pages : Édiscript enr.
Photographie de la couverture : Jborzicchi | Dreamstime.com
Photographie de l'auteure : Marie-Geneviève Lane

*À Lise, Anna*
*et à mes deux Céline*

Et loin au creux de ma chair s'était échoué un
tatouage gravé au feu d'un non-lieu d'humanité.

MADELEINE GAGNON,
*Donner ma langue au chant*

# *K* de Kafka ou de Kurt ou de Kébèc

elle portait des tatouages sur les mains comme des gants de dentelle, toiles d'araignée irrésistibles.

JOSÉE YVON,
*Travesties-kamikaze*

Cobain venait de mourir et je venais de convaincre ma fille de quinze ans de lire *La métamorphose*. Kafka n'est probablement pas l'auteur idéal pour les angoisses d'une adolescente mais enfin… je croyais dur comme fer à la pertinence de la grande littérature.

Quand ma fille se présenta avec un grand *K* bleu nuit, presque noir, tatoué à l'intérieur de son avant-bras, qu'elle portait fièrement comme un cliché, j'ai d'abord cru, assez bêtement, que c'était l'influence du grand écrivain. Une fois l'effet de surprise passé et de dégoût que je ne voulais pas laisser voir, je me suis dit que ça aurait pu aussi bien être le *K* de Kristeva. Clairement, je projetais sur ma fille une intellectualité toute mienne. Je n'ai jamais pu savoir vraiment à quoi ou à qui ce *K* se référait et je me suis donc inventé un récit personnel autour de cette lettre étrange qui me dévisageait sans que je ne puisse rien y faire.

Ma première question fut de savoir si on pouvait un jour effacer ce tatouage, ce à quoi ma fille me répondit que personne ne se tatouait pour en effacer les traces plus tard et que ce « K » arrogant représentait dorénavant une partie intégrale d'elle-même, une sorte d'organe essentiel, visible, révélateur, j'aurais dit signifiant. Une sorte d'extension du bras, quoi! Révélateur de quoi? D'un secret auquel je n'aurais jamais accès? Ce *K* m'interpellait plus que je ne saurais le dire. Une lettre, ce n'est rien en soi, sinon une possibilité de mot, une section de dictionnaire, une langue presque, mais tout bonnement gravée sur la peau claire et blanche de ma fille, ça me dérangeait. Dans toute ma science de mère éclairée, ouverte, féministe même, le tatouage n'entrait pas. Il était là pour rester toutefois, et il faudrait bien m'y résigner, surtout l'été, lorsque les filles affichaient le haut du corps comme un trophée. Je me suis donc concentrée sur la lettre.

La résistance de ma fille à la métamorphose de Grégoire Samsa en vermine, que je comprenais très bien, me laissa croire qu'elle n'avait pas choisi volontairement d'incruster l'initiale de l'écrivain sur sa peau, un peu comme une pomme accrochée à une carapace d'insecte. Elle lisait le roman malgré tout, à demi fascinée, sans se l'avouer, par cette histoire fantastique qui, selon elle, relevait de la science-fiction. Histoire abracadabrante, obscure, troublante. C'est d'ailleurs tout ce qu'elle trouva à dire sur le sujet.

Je savais qu'elle adorait Nirvana et que sa passion pour Kurt Cobain avait pris des proportions effarantes mais, de là à s'imprégner de l'idole pour la vie, tout de même! L'idée me parut absurde.

Finalement, le nationalisme québécois n'était pas une bonne piste non plus. Je racontais depuis longtemps que Québec pouvait aussi s'écrire Kébec avec un *K* ou encore Kébèc avec deux accents mais je savais que toute discussion d'ordre politique ennuyait ma fille à mourir. Raoul Duguay n'avait pas encore composé son hymne national.

Prochain épisode. Dans tous les cas, cette image apparaîtrait plutôt saugrenue aux yeux de ses amis. J'étais donc seule avec cette encre indélébile, ce caractère égyptien qui me faisait signe sans jamais me donner un indice de reconnaissance. C'est fou ce qu'une lettre peut déplacer ! Qu'est-ce que cette lettre pouvait bien venir faire dans ma vie ?

Mon désir de décoder le langage de ma fille se transforma en véritable obsession. Je faisais semblant de rien mais j'écoutais les conversations, j'interrogeais naïvement, je laissais traîner des livres où la majuscule sautait aux yeux, je déclarais pompeusement que Jack Kerouac avait longtemps été mon auteur favori, qu'elle aimerait *On the Road.* J'ajoutais que les lettres *C* et *K* (on aurait pu ajouter *Q* mais je n'y tenais pas pour des raisons personnelles) sont extrêmement près l'une de l'autre, phonétiquement et mentalement, bien que dans mon *Petit Robert,* la lettre *K* couvre à peine trois pages et demie et se retrouve avec la lettre *J,* comme si elle n'avait pas d'autonomie, alors que la lettre *C* va de la page 207 à 398. Deux cents pages de différence, ça compte. J'en ai conclu que *K* devait être une lettre d'origine ethnique, arabe ou hébraïque, japonaise ou chinoise, russe peut-être, qui sait ? Ça pouvait venir de n'importe où. Origine douteuse en somme, ce qui m'inquiéta encore plus, songeant au choix incompréhensible de ma fille. Toujours est-il qu'on peut songer à *C* et à *K* en termes identiques, comme kabbale et cabale, kleptomanie et cleptomanie, Kola et cola, col/colle et khôl, cobra et koala (nous rêvions parfois d'aller vivre en Australie), cri et klaxon, canot et kayak, cachette et kafkaïen, crise et krach.

Ma fille était un kaléidoscope. Au figuré, une succession rapide et changeante d'impressions et de sensations,

un jeu de miroirs, une multiplicité d'images et de pro-
jections. Rien que sur une patte. Une girouette. Typique.
Certains jours, je la percevais comme un vitrail multi-
colore, une suite de fragments mobiles, une scène alter-
native. J'aurais aimé m'allonger à ses côtés, qu'elle me
parle d'elle, répéter son nom, mais elle était maintenant
trop grande, hors d'atteinte. Elle habitait dorénavant son
corps, croyait-elle. Elle vivait dans sa tête et n'en faisait
qu'à sa tête. Je m'affairais, en réalité je butinais, autour de
sa ruche et de ses soi-disant préoccupations. Elle m'igno-
rait, oserais-je le reconnaître, avec raison. Il y avait une
certaine insolence dans son regard, dans sa démarche, et
je n'y pouvais rien. C'était la jeunesse. Parfois, il me plaisait de penser qu'elle savait où elle allait, que sa résilience
précoce la protégerait, et je l'imaginais marchant à toute
allure dans les rues de Paris, s'interrompant de temps en
temps pour que je la rejoigne.

À moins que ce « K » énigmatique ne fût une simple
allusion au nom d'un copain déguisé, une sorte de sol-
dat inconnu. « K » de câlin. Un premier amoureux, une
première tristesse. Un souvenir douloureux, une étrenne
qu'on chérit, une carte postale dans un coffret rose. On
pourrait dire que tout ceci n'avait aucune importance, je
sais, et que ça n'avait surtout rien à voir avec Kafka. On
aurait tort car on ne peut s'accrocher à une lettre pour
le reste de ses jours en vain. Je construisais des théories
farfelues autour de notre usage de la langue. Je me projetais, cela va de soi, au cœur de ses théorèmes, sans succès
aucun, je le reconnais.

D'autres tatouages ont suivi, tout aussi magiques, tout
aussi mystérieux, tout aussi fascinants ou sibyllins. Des
étoiles filantes à l'odeur de lilas, un cœur entre autres,
non pas un cœur rouge d'adolescente, mais un cœur sorti

tout droit d'un manuel d'anatomie. Un cœur en forme de cône inversé, un cœur en mouvement avec des ventricules, des artères, des veines, et du sang que j'imaginais rouge et bouillant. Un cœur qui bat. Un cœur gros comme un poing capable de retourner le sang au cerveau, de franchir le mur du son, de s'éterniser, de survivre, de se planter au beau milieu d'un champ de bleuets et de renverser le vent du lac, un cœur faisant semblant de se noyer, sautant sur le balcon, une grêle en plein juillet.

Et puis un jour, un saut inattendu vers la phrase, la tatouée se souvenant encore de Bikini Kill, vingt ans plus tard. *There are no boundaries on what I can feel. KAMIKAZE.* Fille-commando à la limite, radicale, niant la défaite, la honte. Attaques suicidaires d'une culture punk, Doc Martens en main, faites pour le coup de pied au cul. *Your world hasn't taught me nothing.* Olympia, une chambre marquée au fer rouge. Riot Grrrl. Je m'identifiais à ta rage mais tu n'en avais rien à foutre.

Aujourd'hui ces mots me semblent presque aériens, abolissant les frontières entre mère et fille deux corps étendus sur un lit moelleux tout enrubanné de rouge deux femmes excessives intenses comme on le dit d'un orage ou d'une canicule étouffante, des mains tendues, étonnamment, d'un baiser froissé qui persiste, vertigineux, fou, collant, malgré le temps qui passe. Je me suis dit que ces mots gravés dans la douce pierre de ton autre bras affichaient un profond désir de liberté, une traversée de la vie, ta vie faite d'embûches et de victoires, de petites violences et de grands désarrois. Une envie de soi, une émotion, une certitude. Ces mots m'ont plu. Je te regarde avec tellement de plaisir.

Tu m'auras donné des paragraphes longs comme des couchers de soleil sur la mer, un léger alourdissement d'une pensée qui serait restée stérile sans toi, sans ta peau vibrante, sans ce teint clair sous les lettres bleues inscrites dans le creux d'un bras s'avançant vers l'épaule en ligne droite.

J'ai appris à tout aimer de toi, même ces tatouages effrontés, d'une criminalité intentionnelle, surtout ces tatouages incrustés contre ma volonté, en dehors de moi, près du père, même cette insolite chouette blanche perchée sur ton dos arrogant.

À la fin, pour tout dire, j'ai opté pour «k» de karma, une intention inscrite dans le destin des êtres vivants, notre destin. La définition du mot nous allait comme un gant, à toi et à moi. Le destin est indéchiffrable, disais-tu. Un jour, tu écriras «je suis dérivée de ma mère», *tongue-tied to my mother*. Une mère s'efface. Le corps n'appartient à personne.

# Une enfant inutile

Odile ne voulait pas partir. La vie l'avait ballottée depuis sa petite enfance. Le vent s'était chargé de la balayer ne laissant ici et là que des traces de poussière sous les lits. La mémoire ramenait parfois le rythme des départs comme autant de fils d'araignée embobinés autour de ses frêles jambes de fillette. Sur sa main droite, elle avait tatoué avec une aiguille et de l'encre noire le nom de la dernière ville.

La nuit, ma mère et mon père étudient des cartes inondées de bleu, un bleu turquoise que le vert de l'île n'en finit plus de noyer. Les yeux vert gris de ma mère s'appuient sur l'épaule nue de mon père se posant à peine sur le crayon qui trace obstinément des courbes rouges autour des capitales. Rêves de routes à dormir debout. Ma mère et moi, nous écoutons. Nos ventres de pleine lune annoncent la venue d'une parole de femme différée.

Moi, je regarde par la fenêtre de ma ville asphaltée l'odeur de la pluie le pas des autres que je suis à petit pas les jupes droites des femmes les éclaboussures sur les trottoirs les chats en boule sur les balcons des autres. Étrange que pour eux l'autre soit toujours ailleurs.

*L'autre, c'est ma main gauche, la langue qui fouille ma bouche, les mots qui passent par-dessus les notes en fuite, l'ampoule qui m'aveugle quand je me couche au pied de leur lit.*
*L'autre est ici tout près de la langue dite familière se promenant entre deux lettres feuilletant les pages mouillées à découvert.*
*L'autre, c'est moi bien sûr et ils ne s'en aperçoivent pas. Aller voir ailleurs si j'y suis.*

Odile n'était pas du genre à s'apitoyer longtemps sur elle-même, ou sur le corps des autres. Migrante, elle a vécu dans les malles de sa mère depuis le commencement. Elle en connaissait les recoins les plus sordides les somnifères une fine poudre blanche les onguents les sous-vêtements les lettres d'amour éparpillées entre les chemises de nuit, les photographies obscènes, le plaisir, les minuscules flocons, et tout un arsenal pour l'épiderme satiné vert olive que l'éclairage des terrasses accentuait. Odile adorait humer ces parfums sauvages qui se répandaient sur la longue chevelure de sa mère, sorte de témoin de la beauté des autres. Parfois, ses mains fouineuses, étrangères, glissaient sur les soies blanches. Les beaux draps de sa mère, comme elle aimait le lui répéter avec un rire accrocheur.

Tous les trois, ils avaient pris le bateau, l'avion, l'autocar. Ils avaient traversé la lumineuse cordillère des Andes, marché dans la Vallée de la mort, escaladé des pyramides, foulé les pavés de Buenos Aires, imaginé la jungle du Venezuela, découvert la fraîcheur d'une Europe vieillissante, exploré la pensée hybride, arpenté la Californie, parcouru les plaines, inventé le désert, s'étaient vêtus de sable de dunes de couvertures à la belle étoile, lu des milliers de pages sur l'océan jour et nuit à la limite du raisonnable, une forme d'éducation pensaient-ils.

Je les accompagne enroulée à leurs désirs une enfant inutile entre deux trains un regard coincé entre les jambes croisées d'un homme séduit par la littérature en train de penser son autobiographie au milieu de conversations exclusives envahissant tout geste que je n'ose poser. La nuit, leur sexe s'évanouit. Seul mon discours subsiste. Je m'adosse sur le rebord de la fenêtre fixe l'araignée qui se promène de haut en bas ignorant ma peur marquant la fin du voyage je m'endors entre les vestes de cuir étalées sur la banquette d'en face.

Je ne sais jamais où je vais. Ni pourquoi. Ils m'ont octroyé une identité de passage. Floue. Baptisée dans le bas du fleuve. Un Saint-Laurent sous la mer. J'aurais pu tout aussi bien ne pas naître. Un jour, je le leur ai dit. Ils ont feint l'étonnement ils ont nié affiché une envie de moi ébauché une étreinte aussi-tôt retenue parlé d'une sortie des prochaines vacances de la réussite du vent dans les voiles d'un malentendu. Ils ont parlé de la beauté de Prague de l'impossibilité de vivre sans moi de mon âge qui les comblait des frontières à traverser border writing d'un besoin fou d'écrire pour soi de géographies abstraites de nomadismes tourmentés.

Mais moi, je ne parle qu'une langue la mienne je n'appartiens pas encore à ce décor ne reste plus qu'à me taire refuser au fond de moi le

*projet de repartir. Sans que rien n'y paraisse.
Ils enlèvent leur masque l'instant d'un fou
rire remettent du mascara se prennent dans
les bras l'un de l'autre évacuent la sensation
d'être. Comme si je n'existais pas.
Nous vivons dans un appartement exigu étouf-
fant au dixième étage. Impossible de circu-
ler sans se cogner les uns aux autres. Les
balcons de l'autre côté de la rue semblent
nous tendre la main, justifiant les grands
espaces la perspective. Or, c'est le manque
de perspective qui nous projette au-dehors.
Par le trou de la serrure, les horizons rosés
de nos petits matins embrassent leurs corps
jetés sur le sofa où je dors emmitouflée tel
un serpentin autour de leurs chevilles, attendant les grands déménagements. Je ne suis pas
si malheureuse.*

Odile n'aimait personne. Pas vraiment. Eux, ils vivaient par procuration adoptant les émotions de leurs idoles à la merci d'un petit écran qui leur proposait des sentiments exotiques, rares, jamais vus, des jardins suspendus, des climats dangereux, une foi impensable, des saveurs inconnues. Eux, ils achetaient des vêtements trop grands ou trop ajustés selon la saison des sacs à dos pour la montagne des paniers pour la plage des bicyclettes démodées des guides qu'ils ne lisaient pas des dictionnaires qu'ils ignoraient. Ils se voulaient impulsifs libres comme l'air capables d'improviser. Ils comptaient les jours barbouillaient le calendrier évaluaient la longueur du temps la regardaient sans mot dire se demandant ce qu'ils allaient faire de la petite Odile encore une fois.

L'été dernier, raconte-t-elle, nous avons magasiné, acheté Machu Picchu, une excursion inoubliable. L'escalade est longue, la chaleur suffocante, les voleurs de chemin abondants, mais la montagne généreuse nous porte pendant des semaines. L'écho des pierres construit des mythes auxquels mon père et ma mère croient appartenir. Ils s'approprient le ciel, les civilisations anciennes, le rire des femmes, la pauvreté de Lima la belle.

Je m'accroche à tous les touristes et leur offre ma langue. Je me souviens d'un sendero luminoso inventé par une révolution insensée. Corps fouettés à coups de machette sanglantes visions de filles plus violentes que les soldats, prêtes à tuer sans même se retourner. Ces paysages échappent à ma mère, elle qui ne me reconnaît plus. La fatigue accapare ses nuits. Somnambule, elle arpente le corridor de l'hôtel interrogeant les miroirs qui lui rendent une image désabusée d'elle-même. La chambre s'étale devant elle terra incognita territoire sans nom un Grand Nord qui l'attrape au passage sans faire de bruit. Elle en a plein les yeux cherche une éclaircie une ouverture. Elle qui sait tout d'habitude. Se sent perdue salie par la pollution idéologique de son monde, s'immerge, s'asperge d'eau bénite, délire. Au réveil, mon père arpente les rues de la ville en quête d'un remède, m'abandonne aux étrangers de l'hôtel ravis de mon insouciance. Il revient la nuit tombée, épuisé, aveuglé par la lumière des Incas. Il nous regarde sans nous voir.

Odile fond de partout. Affiche sa maigreur, son ignorance, sa laideur avec fierté. Elle décide de les quitter.
Dernier départ. Seule, sans bagages, elle se perd dans
la cité, sans laisser d'adresse. Le voyage prend alors un
tout nouveau sens pour elle. Elle efface toute trace des
démarches antérieures, s'initie au regard des autres, aux
marées basses qui lui donnent l'illusion d'habiter la forme
des coquillages, au chant de la mer, s'installe dans le futur.
Odile se découvre une fois pour toutes.

Itinérante, elle favorise une forme de nomadisme aux
coins des rues sur la place publique collée aux pierres brû-
lées des édifices, sans itinéraire fixe. Plus rien n'a d'importance pas même le fait d'être là et non ailleurs pas même le
mouvement occasionnel qui la ramène au centre des lieux
fréquentés jadis pas même le son d'une flûte enchantée ou
l'image d'un pays lointain.

Odile vieillit. Les rides s'ajoutent allongeant rigoles
lignes crevasses coulisses dessinant terrains domaines
marquant les chemins à suivre les écueils à éviter. Sous la
pluie, le visage d'Odile se teinte de la couleur du cuivre et
de l'étain. Tous les soirs, elle descend lentement l'escalier
qui la mène à sa tanière se moquant du temps et de la
misère qu'il fera demain. Elle sait que tout est temporaire.
Ils le lui ont appris il y a bien longtemps.

# Appendice

Elle attendait sa meilleure amie. Celle-ci avait promis de venir en juillet. Vivre dans l'Ouest signifie que les amis et la famille viennent vous visiter une fois pour voir les Rocheuses ou Vancouver. Quand ils les ont vues, ils n'ont plus de raisons de revenir. Une nouvelle identité s'accroche, celle d'un appendice des Rocheuses. Ça pourrait être pire, se dit-elle. Elle aurait pu devenir l'appendice d'un homme, un organe pratiquement inutile qu'on enlève une fois le mot dit. Elle aurait pu être attachée à un nom de rue, une insignifiance. Une chaîne de montagnes, c'est monumental. Mais ce n'est pas elle, enfin pas vraiment. Pas de quoi en faire une histoire…

Dire «je», écrire l'exil de cette femme. Elle habite depuis un siècle dans un pays étranger. Elle travaille, parle, circule, passe à côté de l'autre. Un «je» rétréci peut-être… Confrontée à la mémoire géographique d'un avant et d'un ailleurs, stérile, aux prises avec l'absence, le froid, l'impossible reconnaissance.

> Faut-il parler de pertes ? Une étrange intimité, un langage fait de perversions et de séductions s'enroule autour de ma taille. Un serpent, un ici dans le mouvement d'une voix couchée sur le papier ciré des biscuits frigidaire de ma mère. Épices mélangées aux odeurs familières.

*Démunie de faits et gestes, d'espaces familiers, non légitime en quelque sorte, différente, cela va de soi.*

*Dans ce pays, le cinéma ne voyage guère. J'ai vu Crazy, Les invasions barbares et Incendies. Je fais la queue pour voir des niaiseries étasuniennes. Les scénarios ne correspondent pas. En chute libre. Je m'entends causer de littérature. Personne n'écoute. Je me plains. Bien sûr, il y a les longs soleils de plaine tournant la page de jours esseulés. Bien sûr, il y a des glissements d'intentions sous la couverture. Des amants sur la grand-route, des petits bonheurs, des fêtes foraines.*

L'écrivaine bouge. Utopies du féminin. D'une jeune et belle écriture, ose-t-elle dire. De l'abstraction dans un lieu mal défini, vécu en dehors d'une économie amoureuse, de tant et tant de promenades, de vides à n'en plus finir, de flâneries au coin des rues, de nostalgies d'un monde ancien.

Je me rappelle d'un temps où Montréal envahissait tous les recoins de ma mémoire, d'une mémoire d'enfance coulant telle une rivière dans le décor urbain entre Sherbrooke et Ontario. Une station de métro tard la nuit, une cour italienne pleine de plants de tomates, migrante, un bureau de gynécologue, un corps de poète, un premier petit ami, une salle de cours, un désir de grand-mère, une langue feuillue. Inscrite dans la main en train de bloquer l'auto, la douleur, en traversant la rue. Montréal transplanté. Changement d'adresse. De l'Argentine aux délires mexicains, de Frida Kahlo à Diego, de la nuit de la poésie aux montagnes Rocheuses, les majuscules

disparaissent dans un véhicule tout terrain, d'un océan
à l'autre.

> *Le lieu est déjà là, comme si je n'avais jamais
> besoin d'y penser. Il est toujours dans l'entre-
> deux de la page, dans l'entre des lignes. Limi-
> trophes, terrains vagues, trous de mémoire
> qui vous sautent aux yeux dès que l'on ouvre
> la porte de son chez-soi. Mettre la clé dans
> la serrure pour que surgisse l'image familière
> d'une table de travail où se projette le continu,
> la pensée de l'autre lieu, la pensée sauvage.*

Une fille marche dans un pays où le pétrole abonde.
Une fille cherche à accumuler les évidences de son existence, la preuve d'une naissance. Une fille attend le flash
de la mémoire maternelle, la troisième vague comme une
contraction, les plis, les syllabes ratatinées de bouches étrangères. Entre Montréal et l'autre ville, le souvenir du lieu se
donne en fuite, en fût, dans une bière tablette impossible
à digérer. Elle attend un ami, un frère, une sœur, une col-
lègue, un fils même.

> *Ma route mène immanquablement à une chambre
> de pornographe, à une victime attablée qui se
> refait une beauté pendant que le sexe va se
> faire foutre dans le lit de la caméra. Pour
> survivre et pour que la mémoire ne se gaspille
> pas, il m'a fallu inventer des pistes où les
> poupées gonflables ne pétaient plus sous le
> coup des projecteurs, imaginer des petites
> filles sachant écrire bien avant de commencer
> l'école. Les instantanés s'empilent, flottent,*

*sans ordre apparent, tout près des aéroports nécessaires.*

*Un pauvre documentaire, une lutte faite de mottons de laine dans lesquels s'enfarge le chat de la voisine, un chas d'aiguille trop mince pour y enfiler quoi que ce soit. Quand j'étais jeune, nous jouions à la cachette, mes frères et moi. Nous changions de place, nous inventions des métaphores au fil des longues journées d'été écourtées par le sommeil. Nous nous choisissions des endroits privilégiés, inconnus, méconnus, mal connus. Nous nous couchions à dix heures du soir pour que ma mère puisse enfin se reposer.*

Dans la vie de cette femme en transit, le sujet se donne par l'intermédiaire d'un corps qui tourbillonne sur lui-même, d'une figure à talons hauts qui chavire, étourdie, *dizzy*, entraînée par un courant qui lui coupe les jambes, un cyclone. Au milieu de l'œil de l'ouragan, un rappel des Tropiques. Une femme élégamment vêtue, comme on dit chic, étrangement, repense le monde, s'improvise un imaginaire, une suite de fentes de toutes sortes de couleurs, de minuscules carrés de sables, des détresses gigantesques d'exilée. Au verso, un espace blanc où se défait le texte. Elle vit en mode mineur, dans la permanence d'un bémol. Au verso, une géographie qui nierait le sentiment de prendre les mots comme ils viennent, le tracé d'une route de plaine longue à en mourir.

Avec le temps, on s'habitue bien sûr. On oublie pourquoi on est parti un jour. On s'est toujours fait accroire que c'était pour le travail, pour l'autre. L'autre s'infiltre comme un insecte dans les fissures d'une maison mille fois rénovée. L'appartenance grouille, colonie de fourmis se construisant un mur de défense selon les embûches, déplaçant le mal, filtrant la lumière, piétinant sur place, transportant le double de leur poids, s'imaginant un nouveau nid pour déjouer l'habitude.

Je m'invente au fur et à mesure que je fais de l'air. Toute une histoire… En dernier lieu, l'exil vient tourmenter, chatouiller la plume, précisément pour qu'on en parle, comme s'il était d'une importance capitale de le faire.

On m'a enlevé l'appendice en même temps que la vésicule biliaire, à vingt ans. À part trente pierres au foie, je n'avais aucun problème mais le médecin m'a dit, ce sera fait. «De toute façon, l'appendice ne sert à rien.» On m'a enlevé bien d'autres choses dans la vie. Autant de cicatrices tels de pâles tatouages sur ma peau ridée. Longtemps, je me suis ennuyée de tous mes organes. À côté des Rocheuses, je ne fais pas le poids, je sais, mais je tiens à moi.

Personne n'est venu cet été-là, ni le suivant d'ailleurs. Maintenant, je me dis qu'il faut prendre les gens quand ils passent, s'ils veulent bien faire le détour, ou déménager.

# Le tapis rose

Julie Larose n'aime pas son nom. Il faut dire que ça fait un tant soi peu campagne. Enfin, que peut-on aller chercher de plus qu'un nom dans un nom? Elle aime le rose toutefois et a repeint son salon en rose, même le plafond. Ses boiseries, blanches comme de la crème fouettée, créent un effet de contraste suffisamment choquant. Son amour du baroque l'amène à surcharger, à multiplier les détails, à renouveler sans cesse, à s'essouffler, à collectionner. Tout nouveau décor débouche sur une grande cène gastronomique dont elle fait les frais. La montre est essentielle à son bonheur.

À force de recevoir ses amies de filles, elle finit par prendre du poids, beaucoup de poids. La délicatesse de ses poignets devint ainsi objet de dérision. Il n'y a pas de quoi en rire. Elle souffre d'une douleur constante au poignet qui l'empêche souvent de dormir. Son médecin lui a recommandé le port d'une orthèse. Ne pouvant se résigner à acheter un vulgaire article à la pharmacie du coin comme tout le monde, elle s'en est commandé une chez un habile cordonnier du quartier qui lui a fabriqué une sorte de menotte allongée en cuir ornée de fausses perles.

Elle travaille pour un éditeur et transporte religieusement, du bureau à l'appartement, une lourde serviette pleine de toutes sortes de documents inutiles, et ce, tous les matins et tous les soirs. Maniaque, elle aime couvrir son plancher de papiers de toutes les couleurs. Boulimique, elle imprime tout. Elle caresse longuement la feuille ou la page avant de commencer sa lecture. Lire un manuscrit virtuellement lui donne mal à la tête. Elle avale une demi-douzaine de comprimés contre la douleur par jour, extraforts, avec codéine et caféine. Elle pourrait se munir d'un sac à dos, ce qui serait moins dommageable pour le cou, le dos et le poignet, mais, selon elle, ça ferait bien trop scolaire. Elle aime passer pour une femme distinguée, d'une certaine classe, d'un goût certain, élégante, malgré le poids, en réalité précisément à cause du poids. Tous ses vêtements portent la griffe de copies d'un grand couturier.

Sa mère, Madame Larose, a hérité d'une bonne somme à la mort de son mari et a fait l'acquisition d'un condo à Tampa Bay. Tous les ans, en février, Julie décolle pour la Floride. Sa mère s'y est installée de façon permanente avec un jardinier qui, passionnément, cultive les roses. Des jaunes, des blanches, des rouges, des roses surtout pour faire plaisir à Julie qui les regarde toujours d'un air hautain, avec dédain même, sans dire un mot. Elle en veut à sa mère qui affiche sans honte une cheville tatouée, une petite rose évidemment. Julie ne se penche jamais pour sentir le parfum qui en émane, de crainte qu'on interprète son geste comme un assentiment.

Lors de sa dernière visite, elle y a rencontré un petit avocat de la ville de Québec qui l'aima telle quelle subito presto. En fait, une grande gueule de six pieds qui avait mené sa barque dans bien des rivières avant de sauter dans l'océan de Julie. Il avait le tour et la parole facile. Il lui apportait une rose fraîche chaque jour, comme son père, autrefois, quand il entrait dans sa chambre.

Parfois, ils exploraient la côte. Ils installaient leurs chaises longues sur la plage, ne se baignaient que rarement. Julie ne voyait pas l'intérêt de sauter dans les vagues. Elle craignait toujours de perdre pied et de tomber sur un oursin. Elle imaginait une méduse lui brûlant la peau. En fin de journée, ils flânaient dans les restaurants, se promenaient en voiture, magasinaient frénétiquement. Ils rapportèrent à Montréal tout un assortiment d'objets plus ou moins luxueux dont la préciosité égalait la prétention des acheteurs.

Sans crier gare, Antoine s'est installé dans l'appartement de Julie situé au centre-ville. Julie ne démord pas de ses dîners de filles toutefois et chasse régulièrement Antoine du logis chaque fois qu'elle prépare un repas pour ses amies, juste pour le plaisir de célébrer, n'importe quoi. En mal de compliments, elle sert chaque fois des plats qu'elle juge extravagants et riches. Des escargots à l'ail et des filets de sole Mornay, du foie gras, des fromages rares et des desserts exquis. C'est ce qu'elle appelle une « bonne table ».

Vendredi dernier, frustré, Antoine a décidé de surprendre Julie et de la forcer à l'inviter à manger avec le groupe. Il a acheté dans un magasin d'occasions un tapis vieux rose de seconde main regorgeant de fleurs champêtres et l'a fait livrer chez sa blonde le jour même.

Julie n'avait pas prévu le coup et reçut le cadeau comme une insulte. Une carte boursouflée, avec une inscription du célèbre vers de Ronsard, accompagnait la livraison. Ce fut trop. Elle garda le tapis mais somma Antoine de quitter les lieux immédiatement. À l'arrivée des filles, les exclamations d'enthousiasme la calmèrent et elle considéra le tapis autrement. « On dirait une tapisserie ancienne, s'est exclamée Jeannette, ça fait rétro et ça convient à ton décor enrubanné. » Julie croit depuis lors que sa décoration correspond à ce qu'on nomme le style « art nouveau ».

En dépit de cela, toutes ces roses qui se promènent sous ses pieds lui ramènent constamment son nom sur le tapis à tous les instants et ses insomnies ont tendance à redoubler. Julie se fixe de plus en plus sur la chose et développe même une sorte de trouble obsessionnel au dire de ses copines. Elle en fait maintenant le tour tous les matins, se penche compulsivement sur les fils, tente d'en définir la texture, les matériaux de fabrication (laine, soie, coton, matériau synthétique, peut-être), l'épaisseur des fibres, étudie la composition, la densité des nœuds, la teinture, compte les roses, prépare un registre descriptif de tous les motifs, oublie le temps, orientalise son tapis. Elle travaille, mange, dort sur le tapis. Elle se déclare malade pour pouvoir rester chez elle et contempler les différentes teintes de rose qui se logent au cœur de ces fleurs qu'elle juge passées de mode, éteintes, fascinantes néanmoins.

Depuis quelque temps, Julie concentre ses efforts sur la fleur du centre qu'elle a d'abord confondue avec une tache. Exceptionnellement plus agressive, bourgogne, on dirait du velours, emprisonnée dans un cercle qui tire sur le violet, beaucoup plus grande que toutes les autres qui piétinent le bord du tapis, plus séduisante aussi, inodore comme toutes les roses artificielles, ce qui tend à la déprimer. Trois gros bourgeons prometteurs longent la tige principale. Elle cherche les épines à la loupe, elle y passe le doigt, nerveuse, anxieuse, souhaitant une goutte d'eau ou de sang qu'elle pourrait sucer à répétition.

Hier encore, elle tenait une aiguille entre le pouce et l'index et faisait jaillir le sang de son majeur. Aujourd'hui, elle cherche un outil, un couteau, des ciseaux, un rasoir, un décapant, et gratte la rose du tapis jusqu'à ce que la corde se pointe. Elle remet du colorant, accentue un pétale tombé, nettoie.

Ce matin, elle tient une fine lame dans sa main droite et frotte le cuir qui recouvre son poignet gauche. Sous le cuir, elle repère une veine, la flatte, la serre, l'étreint, la taille.

Julie Larose est morte ce matin, enroulée dans un vieux tapis décoloré avec une forte odeur de moisi. On a incinéré le corps et le tapis à la maison funéraire Claude Dubeau dans un cercueil dit « nouvelle ère ». Pour la cérémonie, croyant faire plaisir à sa fille, la mère a choisi un enregistrement de *La vie en rose* chantée par Piaf. Tout le monde a jugé le tout de très mauvais goût.

# L'œil d'Éléonore

La caresse de l'œil est d'une douceur excessive.

GEORGES BATAILLE,
*Histoire de l'œil*

Éléonore ne voit que d'un œil. Elle ressemble à une chatte espagnole. Rousse de naissance, picotée ici et là, portée sur la chose, comme on disait à l'époque. Elle a perdu la vue de son œil droit à l'âge de six ans lorsque son frère jumeau l'atteignit accidentellement lors d'une fusillade avec son *baby gun* récemment reçu en cadeau à l'occasion de leur anniversaire. On avait donné à Éléonore un grand livre de contes. Il va sans dire que le fusil resta caché dans le garage pendant des mois mais l'œil d'Éléonore n'en demeura pas moins hagard, fixé de façon permanente dans le vide. Malgré tout, depuis ce jour, Éléonore lit avidement avec son œil gauche et peut voir clair dans le jeu des garçons.

Dans le jeu en question, elle avait incarné la fille du chef indien, une princesse donc, capturée par un cowboy en mal d'héroïsme, prêt à tout pour la séduire. À leur âge, la séduction se résumait à un échange de becs bien sûr, le baiser ou le *french kiss* ne faisant pas encore partie de leur vocabulaire enfantin. N'allez donc pas vous imaginer un viol prématuré ni une scène d'amour sauvage à la hollywoodienne. Toujours est-il que son frère Jacob, surnommé Lucky Look pour le temps de la *game*, ou Bad Lucky selon les batailles, faisait partie de la gang des bons qui chassait le vilain afin de libérer la sauvagesse. Cachée derrière son ravisseur, Éléonore, curieuse, ne put s'empêcher de se pencher pour voir si on venait enfin la libérer. C'est ainsi qu'elle reçut la fatale décharge. Comme nous le savons tous, *curiosity killed the cat*. Éléonore survécut cependant, avec un œil en moins.

Aujourd'hui, Éléonore est une grande fille passionnée d'histoire médiévale. Elle s'identifie à la grande Aliénor d'Aquitaine. Elle aussi a marié un prince anglais. Bien qu'elle n'apportât en dot aucun trousseau, ni vaches, ni terres, ni dentelles, le chevalier au cœur vaillant lui donna tout de même une belle et noble fille, intelligente par-dessus le marché. Éléonore la vraie, mon Éléonore, choisit elle aussi de vivre loin de son époux et tient sa cour tous les jeudis soir sur le Plateau Mont-Royal. Elle y invite troubadours et ménestrels modernes, les voyous de la nouvelle écriture qui font, en échange, l'éloge de sa beauté et de ses visions littéraires.

Pour ces soirées, Éléonore a jugé bon d'acheter une causeuse, style rocaille XVIIIe, osait proclamer l'antiquaire de la rue Saint-Denis, une copie style Pompadour, qu'elle a rebaptisé style racaille ou *hard rock* à cause de son inconfort. Elle se souvient avec amusement de cette Parisienne, historienne d'art de surcroît, qui s'émerveillait, avec condescendance, de sa charmante habitude de collectionner de prétendues antiquités québécoises. Selon sa mère, Saint-Denis n'est pas l'avenue du Louvre mais on y trouve encore des vieilles affaires d'une certaine valeur, et selon l'antiquaire, Éléonore avait l'œil. Assise au milieu de sa causeuse, elle posait. Elle guettait, elle épiait les clins d'œil fugaces d'un journaliste à l'affût du moindre potin.

Soudain, l'imparfait me saute aux yeux. Comme si Éléonore n'existait plus, comme si le vent avait frôlé son jupon, exhibé son sexe, nié le personnage d'une femme étourdie, fidèle à son image, capable de soulever des montagnes, d'inventer des utopies et des décors de pacotille. C'est que l'histoire d'Éléonore la véritable recoupe le passé de toutes ces grandes dames des siècles antérieurs. C'est qu'Éléonore voit loin, par-derrière et par-devant, au delà de la rue des Érables, au delà du salon où elle convie ses fidèles.

Éléonore, elle, n'écrit pas mais elle lit, tout ce qui lui tombe sous la main, comme le faisait sa grand-mère Delphine qui montait faire les lits à huit heures du matin et que son grand-père retrouvait à midi, plantée au beau milieu des oreillers, un livre entre les mains, oublieuse des patates à peler pour le dîner. Notre Éléonore souffre de diarrhées verbales et ne peut rien retenir. Elle expulse ses désirs comme d'autres sèment des cailloux ou des lettres sur leur chemin. Pour qu'on la retrouve un jour, sans doute, ou qu'on la récupère comme une vieille légende métisse. Or, au fond, elle ne parle que pour elle-même, convoitant de temps à autre le regard d'une chatte aux yeux verts. En réalité, il faut le dire, Éléonore préfère les filles, leur naïveté, leur candeur, leur volubilité, leur imaginaire, leur incroyable légèreté d'être, leur peau lisse, sans accroc, leur nature féline, leurs vulves en parenthèses, leurs trahisons surtout.

Elle collectionne les récits et les tableaux de chats. Elle a commandé à un artiste un bouclier avec des dessins de chats, non pas des chats de race dégriffés qui ne lui disent rien, pas de pedigree pour cette reine, mais des chats de gouttière, gros, maigrichons, déformés, boiteux, grisonnants ou tout frais sortis de l'utérus, noirs comme le poêle ou blancs comme la neige. Elle a rempli sa chambre d'illustrations des chats de Steinlen jusqu'à ce que sa chatte préférée, jalouse, les décroche toutes.

Éléonore s'identifie aussi, cela va de soi, à Gertrude Stein, et lit attentivement les manuscrits de ses adeptes avec clairvoyance et lucidité. D'ailleurs, on apprécie ses jugements, son sens critique, sa grandeur d'âme aussi, sa manière de soigner les chats de ruelle blessés dans des guerres injustes. Toutes les guerres ne sont-elles pas injustes, infâmes, inutiles, répète-t-elle, et ne servent-elles pas qu'à vous boucher la vue, à vous soustraire un membre, à vous couper de la réalité ? Les vrais enjeux résident dans la fiction. C'est le lieu où la narratrice et la protagoniste se rejoignent. Le lieu du simulacre, de la fabulation. Le lieu de Barthes, des mythologies enfantines, de la chair des canons aux armes de destruction massive.

L'été, Éléonore siège dans sa cour comme on va au combat avec pour seul bagage un sac rempli de mots et de métaphores qui enchantent ses amantes ronronnant au pied de la causeuse. Privée dès son jeune âge d'une vision périphérique du monde, elle a tout mis dans sa bouche peinte d'un rouge si ardent qu'un jour, un colibri, trompé par la couleur et le sucre de ses lèvres, vint y recueillir le nectar pendant une seconde d'éternité.

Son frère Jacob fréquentait de temps en temps le salon rococo. Mais, ne pouvant supporter ce verbiage féminin, il a fui sa jumelle, s'est rasé, est devenu rappeur de circonstance. Jacob volubile à sa manière, inconscient de lui ressembler, coupable avant la lettre d'un combat avec l'ange, renfermé dans ses mimiques jacksoniennes, construisant des échelles chimériques où seule Éléonore monte et descend. Depuis l'accident, Jacob bégaie, ce qu'Éléonore ne lui pardonne pas. Elle déteste les gens qui ne peuvent s'exprimer décemment en public. À l'occasion, dans ses rares moments de mutisme, elle oublie et le prend par le bras comme on traîne une poupée.

Éléonore tient son nom d'une vieille tante dont l'histoire tragique avait marqué toutes les femmes de la famille. On l'avait mariée à un adventiste qui passait par là. Fou comme de la marde. Fou furieux. Un jour, il lui avait enfoncé son poing dans le vagin. Il ne voulait plus d'enfants. On ramassa une chaudière de sang et la passivité d'Éléonore s'envola. Plus tard, on dira que le trou laissé dans la matrice était prémonitoire du creux inscrit dans le visage de la jumelle. L'histoire de la vieille tante de Silver Creek servit de garde-fou à la jeune Éléonore qui se tint éloignée de toute doctrine religieuse. Elle toise son nom avec scepticisme.

Sa fille, par contre, adore le nom de sa mère et l'a même donné, avec une consonance anglophone toutefois, à une superbe chatte orangée sauvée d'une mort certaine à la SPCA. Transmettre le nom de la mère pour que se déroule la bobine des affections, malgré les tempêtes. Ironiquement, la chatte avait également perdu un œil et, contrairement à Éléonore, fuyait les humains comme la peste. Dans une autre version de l'histoire, on la décrit comme « une chatte hideuse, mal vêtue, d'un pelage blanc parsemé de vilaines taches grises et borgne de l'œil droit ». On ajoute que ses origines sont douteuses. Dans cette deuxième version, « une amitié serait née entre ces deux êtres en besoin d'affection et de tendresse ». Je n'ai pas retenu cette interprétation des faits. Impossible, selon moi. La fille d'Éléonore ne manquait pas d'affection. De plus, elle n'a jamais totalement apprivoisé sa chatte, à peine a-t-elle réussi à l'adoucir jusqu'au jour où Camille surgit dans la vie d'Eleanor.

Camille est une magnifique grosse chatte, sûre d'elle-même, gourmande et qui prend toute la place, confinant l'autre à la chambre de sa maîtresse et à la nuit. Camille circule dans l'appartement pendant le jour avec un port de reine sûre de son pouvoir, n'en faisant qu'à sa tête. Aussi, intimidée par l'autre chatte et dans l'espoir de l'amadouer, Eleanor lui promet des oiseaux, des souris et des hommes. Rien à faire. Camille l'ignore et refuse toute promiscuité. Au nom d'une certaine justice, tard le soir, on renferme Camille avec sa litière et sa nourriture pour que la rousse puisse se réapproprier, temporairement, son espace. « The night belongs to Eleanor… », a-t-on décidé. Un titre de nouvelle.

S'inspirant de la chatte de sa fille comme d'un modèle, Éléonore, la mère, est devenue introvertie. Elle s'est faite recluse. Elle change à vue d'œil. Certains disent qu'elle a mal tourné, qu'on lui a jeté un *mal ojo*, le mauvais œil de la *santería* portoricaine. En réalité, c'est le Plateau qui a mal tourné. Quartier ouvrier, mon œil, s'exclame-t-elle. Éléonore a déménagé et perdu son aura. Elle n'est plus la même, certes. Elle a même décidé d'écrire et a nommé son premier recueil « La nuit appartient à Éléonore ». Une autofiction.

Insomniaque, elle passe des heures à regarder la télé ; somnambule, elle se faufile incognito dans les rues de la ville. Contemplative, un bandeau sur l'œil, elle observe les mœurs urbaines avec ravissement. Elle y respire la bonne odeur de la pollution, fume des cigares cubains, fréquente les bars du Quartier latin et revient chez elle, épuisée, aux petites heures du matin, l'œil chargé de merveilles telle une pirate. Elle voyage.

À Caracas, elle a rencontré une Espagnole d'origine musulmane qui s'appelle, croyez-le ou non, Eleonora, une peintre du quotidien. Eleonora peint la nuit d'une capitale traversée par des tunnels ombrageux, une capitale courtisée par une mer vague, une mer débordante, une mer généreuse. Et la jungle qui gronde au loin. Elle peint la nuit de Chávez.

Allongées sur le sable blanc de l'île Margarita, les deux femmes se penchent amoureusement sur les détails de l'océan. Elles causent de littérature et du bonheur de vivre, des femmes latines et de la fraîcheur des huîtres, d'une certaine douceur, des cheveux turquoise de Mélusine. Un pied frôle le coquillage bleu tatoué sur la cheville de la gitane. Le présent s'incruste dans la chevelure d'Eleonora et pour un instant, le temps d'en mourir de plaisir, Éléonore revit. Mais le présent, la narratrice le sait bien, appartient au futur. La mer fait semblant de se taire. Un autre trompe-l'œil au centre de la toile.

# Bar Teca

Madame promène son cul sur les remparts
de Varsovie
Madame promène son cœur sur les ringards
de sa folie
Madame promène son ombre sur les grand-
places de l'Italie
Je trouve que Madame vit sa vie

JACQUES BREL,
*Les remparts de Varsovie*

Pendant que sa femme se rase délicatement le poil du pubis, Louis remet pour la quatorzième fois cette chanson de Brel. Pratique imposée à sa Luce au nom d'un plaisir érotique pratiquement inexistant, dis-tu. Leur couple s'effrite en même temps que leur amour. Je t'écoute me raconter cette histoire farfelue. Tu le fais pour m'exciter, je sais, et je fais la sourde oreille.

Tout a commencé au Bar Teca, on prononce Téca, tu insistes, au moment où Louis se complaît à observer les amies de sa femme qui viennent siroter un café plusieurs fois par jour et placoter tout en exhibant leurs jambes, leurs lèvres et la courbe de leur taille. Quand par bonheur Luce se joint à elles, leurs embrassades l'étonnent. Jamais elle ne lui montrait autant d'affection. Au lit, selon les confidences de Louis, elle s'agite à peine, ni plus ni moins. Tu imagines que Louis songe qu'elle est encore divine sous sa parure de féline. Tu crois qu'il la désire encore en dépit de ses dires et qu'il se plaît à partager sa beauté.

Parfois, l'envie tenaille Louis de la prendre là entre les chauds lattés et les cappuccinos tièdes que savourent ces extravagantes commères. Pour faire rire les étudiants, affirmes-tu, il y en a toujours une qui parle plus fort que les autres afin de scandaliser les tables voisines. Moi, je pense que tout cela est bien insignifiant mais n'est-ce pas précisément dans le détail et l'insignifiance de tous ces gestes anodins que les femmes repensent leur monde ?

Toujours est-il que Louis surveille sa Luce à distance, affichant une apparente indifférence à ce que ces gonzesses se racontent. Et puis un jour, son regard bifurque sur le corps de Violette dont il tombe follement amoureux. Épris de son teint rosé et de son sourire osé, il cherche son numéro de téléphone dans le bottin et l'invite à venir prendre un verre avec lui. Le lendemain, l'absence de Violette ne passe pas inaperçue. Du coin de l'œil, les filles notent simultanément que Louis ne se cache plus derrière la porte. Luce rentre tôt à la maison et amorce une longue conversation avec son partenaire sur l'échange, la fantaisie, le plaisir, le renouveau, l'exploration, l'importance d'abolir les frontières. Toujours selon toi, ils ont beaucoup bu ce soir-là et, contrairement à leurs habitudes, ont baisé avec fureur toute la nuit, affichant la passion que l'on retrouve au cinéma. Donc, Louis ne sait plus où donner de la tête et ne cherche curieusement pas vraiment à comprendre ce qui se trame dans celle de sa blonde.

Louis et Luce vivent grassement, c'est bien connu. Enfants uniques, ils ont hérité de deux grandes maisons et leur compte en banque est bien garni. Ils voyagent, en Thaïlande, en Argentine, en Italie. Ils se promènent à Prague, à Lima, à New York, à Vancouver, à Paris. Ils n'ont

pas d'enfants et n'en veulent pas. Ce serait trop compli-
qué, trop exigeant, trop bruyant, et ça les empêcherait
de travailler. Ils adorent les belles choses, la belle vaisselle
et les beaux bijoux. Non pas qu'ils soient superficiels ou
décadents, disent-ils, la décadence ne se mesurant pas à la
grandeur du jardin ou au nombre de serviteurs.

Il m'arrive d'imaginer Louis XIV visitant ses fontaines.
Il devait bien penser de temps à autre à la déchéance de la
cour, et des rois et des reines. Mais Louis et Luce ne voient
plus le monde en termes de monarchie et ce dont rêve
Louis en ce moment, prétends-tu, c'est de séduire Violette.
Il trébuche dans son jupon et dans les failles de sa peau
bleutée sous les aisselles. Il rêve de lui acheter des cha-
peaux au bord très large et de l'emmener en Guadeloupe.
Sentant le danger, Luce a aussitôt acheté les billets et
lui a annoncé un soir de semaine, tout bonnement, sans
avis préalable, qu'ils partiraient tous les trois pendant la
semaine de lecture.

Louis n'en est jamais revenu. En fait, j'ai bien pressenti
comme toi que Luce lui avait damé le pion. À mon avis, le
Bar Teca revient dans la mémoire du beau Louis comme un
harem où les femmes mangent, fument, rient, attendent
qu'un eunuque jadis castré par le patriarche de la maison
vienne s'asseoir à leur côté et entendre leurs voix mélo-
dieuses et parfois tristes. Sous le rire et la robe des amies
de Luce, des pleurs circulent, des murs de lamentations
qui se glissent dans les cafés que de jeunes Italiens frais et
prétentieux déposent sur la brillante surface brunâtre de
la table tout en ramassant les tasses, le sucre et la crème
dégoulinante.

Tu es certain que Louis songe à mille stratégies pour
convaincre Violette de son érudition et de continuer une
partie d'échecs que les deux femmes ont amorcée. Louis

aux gestes que l'on récrée sous les draps séchés à l'air libre.

Louis regarde Luce sortir de la douche et s'enrouler furtivement dans une grande serviette. Un verre de rouge à la main, il se fait voyeur pour lui plaire, tout comme toi d'ailleurs. Ils ont invité Violette à l'opéra et il la veut ravissante («Violette ou Lucie?»), bourgeoise, infiniment coquette, provocante, obscène, pour lui, cela va de soi, mais encore plus pour l'autre («Mais qui est l'autre?» «Ne mélange pas les cartes», réponds-tu avec impatience).

Nous sommes là derrière eux, de véritables espions, tendant l'oreille, prenant des notes, dépassés par les événements, incapables de deviner l'échange et la violence du désir qui les (nous) possède tous. Que je le veuille ou non, je fais maintenant partie de ce scénario. En ce soir de gala, il devient clair (pour moi) que l'amour ne fait plus aucun sens, que seules des bouches dévorantes s'insinuent dans les décolletés plongeants de ces dames. De plus en plus nerveux, nous retenons notre souffle. Nous ne voulons pas être découverts. Mais Louis sait que nous sommes là, ou que tu es là. Lorsque Carmen paraît, une Carmen potelée au visage gras, fondu sous un épais maquillage, seul le bruit de la robe écarlate de Violette descendant l'escalier en compagnie de Luce retient l'attention du public. Une sorte de murmure se lève dans la salle et accompagne le soupir de Louis. Louis ne peut résister à la tentation de les suivre. Il trébuche et perd de vue les deux femmes qu'il convoite depuis l'origine du Bar Teca. Bouche bée, nous assistons à tout ce drame, impuissants. Au fond, plus rien à dire sur le sujet. Il te manque trop d'informations et il devient de plus en plus évident que tu ne comprends pas vraiment ce qui se trame dans la tête de ces intellectuels.

Ce soir-là, toujours selon les propos que Louis t'aurait rapportés le lendemain et que tu me répètes prétendument de façon fidèle, pendant qu'il fait semblant de dormir dans la chambre, Luce et Violette jouent aux échecs. La reine, les pions, la tour, le cavalier et bien sûr, le roi, se baladent entre les longs doigts aux ongles peints de rouge et de noir de deux femmes en chaleur. De temps à autre, elles s'accrochent les mains et rient à grand éclat. Luce remplit les verres et elles s'amusent à se faire la cour. « L'amour est enfant de Bohème, il n'a jamais, jamais connu de loi. Si tu ne m'aimes pas, je t'aime, et si je t'aime, prends garde à toi ! », fredonnent-elles avec entrain. Luce fausse et sa voix s'éparpille dans l'immense rideau de velours. Violette la rattrape au vol et enchaîne un nouveau duo. Luce devient l'adversaire. Une heure plus tard, Violette crie « Échec et mat » et sort en courant comme dans une scène d'opéra. L'enjeu disparaît en même temps que Violette.

Tout à coup, et ta voix monte d'un cran, Luce entrevoit Louis flambant nu dans le cadre de la porte (ce sont bien ses paroles ?). Une fois déshabillé, elle se dit (selon lui ou selon toi ?) que le corps de son amant offre un certain intérêt, presque semblable à celui de Violette qui n'est plus là de toute façon pour ramasser les miettes du désir. Complices, affamés, voraces, épuisés, ils se dévorent du regard avant de s'enfoncer dans le lit moelleux qui n'a cessé de les attirer. Dans tes mots cette fois, ils plongent dans ce qu'ils croient soudainement être l'intelligence de leur (faux) amour fou. Au petit matin, Louis propose à son amante de l'épouser. La cérémonie aura lieu en Guadeloupe. Ils inviteront les amis, bien sûr. Violette sera de la partie. Fin de l'histoire de Louis, de Lucie et de Violette. Fin de ton récit. Certes, il y aura bien d'autres épisodes mais je refuse d'en entendre parler plus longtemps.

Nous les croisons encore quelquefois au Bar Teca. Ils ont l'air de bien s'entendre. Finalement, je m'en fous royalement. Tu ne me crois pas du tout. Comme pour me rassurer, tu m'avoues que les couples ne s'éternisent pas longtemps. S'ils le font, c'est bien davantage pour se complaire dans le regard d'une société désincarnée. Évidemment, nous sommes l'exception qui confirme la règle. C'est toi qui le dis. Je ne suis pas sûre de te croire.

# L'invention de la pluie
## ou la transparence des tropiques

SOUVENIR. Remémoration heureuse et/
ou déchirante d'un objet, d'un geste, d'une
scène, liés à l'être aimé, et marquée par l'in-
trusion de l'imparfait dans la grammaire du
discours amoureux.

ROLAND BARTHES,
*Fragments d'un discours amoureux*

[…] *the Caribbean is not a common archipelago,
but a meta-archipelago* […], *and as a meta-
archipelago it has the virtue of having neither a
boundary nor a center. Thus the Caribbean flows
outward past the limits of its own sea* […]

ANTONIO BENÍTEZ-ROJO,
*The Repeating Island*

Les tropiques, c'est avant tout un orage qui s'abat sur
moi sans avertir, à quatre heures de l'après-midi, un nuage
égaré perdu dans un océan de ciel bleu, une fleur tombée sur le trottoir, chargée du poids de la nuit, un enfant
presque nu, une fenêtre entrouverte, un vieux sofa accoté
sur un mur de ciment, un son, une Vierge noire sur une
tablette en coin.

Quand j'ai connu mon conquistador, je savais que je
l'aimerais. Non pas d'un amour fou ou pur, ni d'un amour
respectable. Un amour de pacotille, on dirait aujourd'hui.

Banal, sans lendemain, simplement couché sur un lit de plage, sur le bord d'une route abandonnée.

Nous avons côtoyé les cocotiers, compté les petits crabes qui sortaient du sable étonnés de voir nos pieds se tourner vers eux, nous nous sommes dévorés des yeux, nous avons fréquenté Federico García Lorca, nous avons murmuré des airs de famille. Et finalement, que dire, sinon que sa désinvolture me plaisait.

Il disait préférer ses mulâtresses, leur conviction quand elles baisaient, la répétition de leurs gestes, leur prédisposition. Il en avait bien deux ou trois. Moi, je ne posais jamais de questions. Savoir diminue le bonheur de la découverte. De toute façon, ça n'aurait rien changé entre nous. Il était vieux, le visage agréablement ravagé, avec un nez anguleux que je trouvais curieux, comme un tournant historique inattendu. J'étais jeune et belle, je crois. Enfin, j'étais jeune. Ça suffisait.

Il était né à Bilbao d'une mère française et d'un père basque. Je lui chantais la chanson de Brecht qu'il avait oubliée sur sa table à dessin. Il pratiquait l'art de la caricature et peignait des paysages dénaturés, grotesques, regorgeant de bêtes multicolores et de peuples colonisés. Plus d'une fois, je me suis perdue dans ses couleurs, me suis laissé glisser sur une ligne de feu teintée de bleu, ronde comme une femme, étroite comme un petit doigt.

J'aurais aimé qu'il me présente ses femmes. Parfois, je l'attendais dehors, au pied de l'escalier qui menait à sa chambre, espérant le voir surgir aux bras d'une amante brune, vêtue de coton blanc, frivole et légère. Mais il sortait toujours seul, heureux de me retrouver, enchanté, disait-il. Il me caressait alors furtivement et nous longions les édifices délabrés, imaginant des siècles de partage forcé.

À l'heure qu'il est, je lis Dionne Brand et voyage sur les ailes d'une arrière-arrière-grand-mère nommée Marie-Ursule qui planifia le suicide collectif d'une centaine d'esclaves. Entre Trinidad et Tobago, de Culebra Bay et de Bonaire au Venezuela, je te sais présent, entre les lignes, contemplant l'architecture du passé avec de grands yeux tourmentés, à moitié fermés, incapables de soutenir le soleil.

À la Bodeguita del medio, nous prenions un café, entourés de faux artistes qui racontaient, encore une fois, l'histoire d'Hemingway et de la mer, sur un ton monocorde, mais ça m'amusait parce que ça parlait de littérature. Tu lisais peu, trop occupé à chercher tout ce qui te manquait pour ton bonheur, du papier, du tabac, du café, des herbes, du rhum, que sais-je encore ? Nous allions à la plage tous les jours mais tu ne te baignais jamais sauf les jours d'orage. Le vent semblait porter tes jambes. Je te croyais toujours en train de te noyer. Tu aimais me faire peur. La mer n'avait de secret que pour moi, venue de si loin, d'un pays d'arbres fourchus, d'érables et d'épinettes.

Un jour, tu m'as invitée dans ton atelier. J'ai fait le tour de tes toiles bariolées, de tous tes tubes de couleurs qui traînaient, de tes murs qui sentaient la térébenthine, de tes pinceaux dont je me suis emparé pour jouer au toréador. J'ai embrassé ton cou de vieil homme et me suis laissé faire. Ton esthétique, prônais-tu, reposait essentiellement sur la nécessité politique et la rigidité de l'époque. Il t'avait fallu t'adapter au manque d'outils, à l'absence, à la distance, à l'impossibilité. Il t'avait fallu reconnaître que toute couleur s'efface devant le modèle, qu'il ne subsiste au fond qu'une longue promenade ininterrompue, de l'œil à la feuille, de la main au croquis, de l'enfant à la mère, que seul le mouvement, l'amorce, perdure, au delà de l'intention de l'artiste. Je n'écoutais que d'une oreille. Ça n'avait aucune importance. Tu étais mes tropiques et je te chevauchais telle une jument en chaleur.

L'âge, disais-tu, ne compte pas. C'est faux. Tes menteries me ravissaient mais je savais qu'il s'agissait de beaux mensonges polis, enrobés de sucre et de miel, fondant sous la langue, et je m'y frottais avec contentement. Tu m'inventais sous chaque pli, à la limite de la parure et du charme, tu t'insinuais en moi comme une mauvaise pensée. Un péché de couventine, appris par cœur.

Quand il pleuvait fort, nous sortions sur la grande terrasse pour y chasser les gouttes d'eau tremblantes, heureuses, transparentes, fidèles. Tu me rappelais un père que je n'ai jamais eu, un orignal que je n'ai jamais chassé, une forêt boréale que j'aurais aimé défricher. La plupart du temps, je ne pensais à rien.

Au fond, tu n'étais pas si vieux. C'était ma vision rétrécie des choses et de la vie. Tu inventais des mots pour me confondre. Tu disais avoir tout oublié de l'ancien monde, sauf les poètes, l'origine ne se conjuguant qu'au présent. Tes mots abolissaient le temps, prétendais-tu. L'art de ne rien dire. Aucune descendance. Des traces, une sorte d'écran témoignant de ton passage, des corps de bêtes presque humaines. Quand je regardais tes tableaux, j'avais l'impression d'y reconnaître une jungle affolée mais il n'y avait jamais là rien de définitif. Tu paraissais si calme, une eau limpide, une échappée de lumière, un tombeau de roi, un coffre de cèdre, un précieux bijou sur une poitrine de jeune femme, un fruit mûr, une émeraude au doigt. Réservé, sans doute. Contradictoire. Tu avais tout de ce banc de cathédrale qui tombait en ruines, où nous allions nous asseoir pour nous rafraîchir, à l'ombre des indiscrétions.

Nous avons bu dans tous les bars de la ville. Nous avons suivi la courbe du vent au milieu d'un ouragan nommé Alicia, le premier de la saison. Les ouragans ne devraient jamais porter de noms masculins, croyais-tu. Les tempêtes appartiennent à l'énergie des femmes, quoi qu'on en pense. Ma mère contrôlait ses tempêtes dans le vin mais je ne voulais pas en parler. Je domptais les miennes dans le silence. Tu avais pourtant tout compris, dès le début, et tu ne posais pas de questions non plus. Se raconter devient ennuyeux, répétais-tu.

Les paroles s'envolent mais le charme reste. L'amour ne sera toujours qu'un talisman, une mémoire, un flot à découvert d'émotions refoulées, une langue de sourds-muets, une logique impensable. Inutile, selon toi.

Le récit n'aura de sens que parce qu'il y aura eu un bref enchantement, une douceur, une entente, une longue conversation de bonheurs, une intensité, une suite de chauds après-midi dans ton jardin peuplé de petits lézards qui n'en finissaient pas de m'inquiéter, ce qui te faisait rire au point de t'étouffer, ta limonade éclaboussant tes rides que j'aimais plus que tout parce qu'elles évoquaient mon enfance, ma grand-mère morte quand j'ai eu six ans.

Tu es sûrement mort maintenant mais ça n'a aucune importance. J'ai gardé de toi un dessin, un Don Quichotte fringuant mais déprimé, courant sur une plage après sa Dulcinée miniature, un dessin en noir et blanc que tu avais nommé *Un Espagnol à Curaçao*. Moi, je suis bien vivante dans mon chandail de laine et je regarde la neige tomber sur la colline en face de la maison, toute contenue dans l'odeur de café.

J'ai retrouvé les tropiques en Espagne, à Grenade, au Prado, à Barcelone. J'ai parcouru le chemin de Santiago de Compostela, me suis rendue à Bilbao. Au musée

Guggenheim, au fond d'une petite salle, j'ai vu une de tes toiles. Ça ressemblait à Wifredo Lam, ce peintre cubain que tu m'avais présenté. C'était curieux. Je ne te reconnus pas dans cette jungle empruntée, magnifique tout de même. Ça, c'était toi en peinture, me suis-je dit. Tu m'auras trompée jusqu'à la fin.

# Au coin de Ayestarán et Rosario

> Je me méfie donc des contrastes superficiels et du pittoresque apparent ; ils tiennent parole trop peu de temps.
>
> CLAUDE LÉVI-STRAUSS,
> *Tristes tropiques*

Dans une rue de Buenos Aires, près de la pension où je loge, une femme, main tendue, pose assise sur un vieux tapis troué. Trois ou quatre enfants jouent autour d'elle prêts à agir si elle en donne l'ordre. Je ne sais trop si donner de l'argent aux gens de la rue les aide vraiment. Je crois dur comme fer que le capitalisme devrait s'occuper de ses pauvres. À la voir là, sédentaire, statique, tous les matins, je me suis tout de même dit qu'au moins, quelques pesos lui permettraient de nourrir ses enfants pour le midi.

Je me sentais un peu rebelle parce que la veille, le jour de mon arrivée, un chauffeur de taxi m'avait volé, prétendant que je lui avais donné un peso au lieu de dix. Furieuse, je me suis engueulée avec lui pendant quelques minutes sans réussir à le convaincre de mon honnêteté. Tout à coup, je me suis emparée de son portefeuille abandonné sur la banquette avant, le menaçant de sortir du taxi s'il ne me remettait pas mon argent. Prise de panique, et consciente qu'on tue un peu partout dans le monde pour moins que ça, je le lui ai lancé à la face et l'ai insulté du mieux que j'ai pu en ouvrant la portière.

Le lendemain, je compare mon chauffeur de taxi à cette femme qui n'a probablement pas encore trente ans mais dont le visage en affiche mille, des siècles de misère et de faim. Évidemment, les méthodes de Pablo, un nom inventé pour la circonstance, différaient. Je me demande si le sans-cœur ne respirait pas le même air pollué, si son geste ne participait pas du même souffle que celui de la femme qui m'émeut tant aujourd'hui sans que je n'y puisse rien. Remords de colonialiste, colonisée jusqu'aux entrailles.

J'ai adopté cette mère comme on adoptait autrefois ses pauvres dans mon village. Chaque matin, je fais exprès de passer devant elle pour lui offrir une misérable offrande, que je dis à la mesure de mes moyens pour me justifier. Après quelques jours, les enfants m'attendent à la sortie de l'hôtel et me suivent jusqu'au coin où se tient la mère. Elle ne me redonne jamais l'ombre d'un sourire en échange et cela me parut d'abord une sorte d'affront. Plus tard, je penserai que c'était le juste retour des choses.

Sa maternité me dérange. Moi, restée sans enfants, moi qui aurais tant aimé en avoir au moins un, je m'émerveille soudain, bêtement, devant ses enfants aux pieds sales et au visage barbouillé qui guettent le moindre passant espérant lui soutirer quelque pitié mal placée ou encore lui voler subrepticement un sac, une orange, ou s'emparer d'un chandail tombé par inadvertance. Je ne sais pas si le plus vieux fréquente l'école mais la sévérité de son regard dit fort bien qu'il a identifié depuis longtemps l'existence de deux mondes, deux ordres, et qu'il se sait appartenir au camp des déshérités. Le mot « indigné » n'existe pas pour lui. Il ne s'agit pas de protester mais de survivre. Il n'a jamais entendu parler de crise économique. En état de crise depuis le premier jour. Une seule vie à faire le trottoir, à ramasser ses guenilles, à apprendre quelques pas de tango pour l'exotisme, pour impressionner les touristes. Une vie trop brève à bloquer l'imagination, à avoir mal, à vieillir pour vieillir.

Je parle la langue du pays mais je ne parle pas la langue de la mère. La misère possède ses propres dialectes. *Gracias* ne signifie pas ce que mon dictionnaire traduit par merci. Le East End de Vancouver n'est pas très loin, les grands hôtels où on interdit la circulation des putains non plus. Les vitrines des grandes villes se ressemblent. Seule la marchandise change.

Il y a des histoires qui vous brisent le cœur et je m'en veux d'en parler. Je préférerais un imaginaire dilué, légendaire, un lieu où les Incas posséderaient encore tout l'or des cathédrales, un Mexique où la Malinche ne serait plus violée, n'engendrerait plus un peuple de *chingados*, où le fil d'Ariane servirait de lien, d'image, dans le labyrinthe des mots.

Ma mère à moi ne s'assoyait que rarement à la table. Elle servait les hommes et les enfants, tranchait le pain, ramassait les miettes, remplissait les tasses, faisait la vaisselle. La faim se vivait de l'intérieur. On refusait de la voir. Mon jeune frère ne mangeait presque pas, seulement le dessert. Le goût du sucré lui était venu d'une grand-mère qui l'avait gâté dès la naissance. Il avait toujours faim mais il lui fallait attendre la fin du repas.

Chaque fois que je croise ma nouvelle mère argentine, je revois ce tableau et j'aimerais ajouter des bonbons à la monnaie qui tombe dans le petit bol de céramique comme une cuillère dans mon bol de soupe. Je n'ose pas. Je l'ai surprise en train de le vider dans sa poche de manteau. Elle me regarde avec mépris. Dans les musées de la ville, ces tableaux de femmes abondent. Un jour, j'achèterais des toiles de figures indigènes, de femmes vêtues d'étoffes colorées, de Boliviennes, de Colombiennes, de Marocaines, de Nigériennes, d'Amérindiennes, des femmes tournant le dos à la civilisation. Femmes étrangères, peintes en Alberta. Patterns appris, érudits presque. Le tiers-monde tatoué pour la consommation. De l'Alberta à la Patagonie, il y a tout un monde. Les jeunes filles y voient encore leurs fiancés parcourir la plaine à cheval mais le cœur n'y est plus.

Je ne peux repenser cette mère dans le cadre d'une reproduction immobile, un témoignage contenu dans un trait de pinceau, une photo, sans adresse. Elle vit dorénavant les jambes à jamais repliées au coin des rues Ayestarán et Rosario, le bras légèrement effacé, bougeant peu, comme dans un film au ralenti, un cinéma muet, un cri de foule, une peur bleue.

Je pars dans deux semaines. Je sais bien que j'oublierai ce grand garçon, je recommencerai à lire des romans de Cortázar, je mangerai à ma faim, je raconterai mes aventures, je trébucherai sur la réalité, je ferai semblant. À l'université, je tiendrai sensiblement le même discours, celui d'une femme engagée, politiquement (à) gauche.

Avant de partir, je lui apporte un maté pour la réchauffer. C'est l'hiver à Buenos Aires. Je lui demande son nom. Paloma. Triste colombe. Même les oiseaux ont froid l'hiver. Elle appelle sa petite fille, « *Palomita, ven* », et tenant la petite paille de métal entre ses doigts, elle la laisse aspirer une gorgée. Et puis une autre. La chaleur passe dans le regard de l'enfant. Elle ne sait pas ce qui l'attend et se colle contre la poitrine de sa mère.

# Au pied de la lettre

*À Lise G., destinataire et complice*
*dont je me suis approprié les lettres.*

Je t'écris parce que je n'ai trouvé rien qui
disait ce que je t'écris. [...] Quand tu la
recevras fais-moi signe. C'est ainsi que je me
donne, oui, avec le stylet du tatoueur, omni-
présent et méconnu.

MADELEINE GAGNON,
*La lettre infinie.*

1ᵉʳ septembre 2005
Ma chère L,

Nous avons choisi d'inscrire cette conversation
sous la forme d'une lettre. Ce «nous» me place
d'entrée de jeu dans une position collective confor-
table car il nous inclut toutes les deux, bien sûr,
mais aussi toute la communauté abstraite de ceux
et celles qui ne liront sans doute jamais ces lignes.
Si je fais allusion au secret de la lettre, c'est que
cette missive, une fois ouverte, aboutira probablement dans un tiroir. Étrange peut-être, mais c'est
la raison pour laquelle un échange épistolaire me
semble préférable à toute autre forme de communication; il situe l'écrivante face à l'autre, parlant
de tout et de rien à l'infini, curieusement hors
d'une intériorité qui me répugne.

L'été dernier, alors que nous discutions de la couverture médiatique, voire hystérique et dramatique, du cas de Karla tout juste libérée de prison, je me disais que nous n'étions pas encore sorties du célèbre continent noir. Le rapport à l'ordre et à la loi est fonction de notre espace de survie. Criminelles ou non, nos gestes, nos désirs, nos choix nous définissent. Ici, les juges décident que la liberté doit s'exercer dans des limites géographiques déterminées, parce que le crime est impardonnable. On pardonne moins aux femmes, disais-tu.

Quand j'étais jeune, on nous répétait que la vue d'une femme ivre était cent fois pire que celle d'un homme saoul. Quand j'ai vu ma mère à quatre pattes, je ne lui ai pas pardonné. L'espace que nous traversons, debout ou à quatre pattes, est précisément le problème, et par conséquent, le temps aussi, puisque le temps constitue la frontière ultime, pour reprendre un vieux cliché.

Nos lieux sont des espaces protégés où le temps se fixe à jamais, où le savoir circule, supposément, à travers tous ces visages anonymes d'étudiants, toujours jeunes, toujours pareils. Il faudrait parler de non-lieu, d'utopie jamais achevée, partout à la fois. Avec le temps, rien ne se produit, semble-t-il, dans une salle de classe. Entre le tableau noir/blanc et les trente pupitres, seul ce que je raconte peut me justifier. Pour moi, le problème de la frontière fictive ou réelle demeure entier. Je veux traverser la salle, m'asseoir à l'arrière, ouvrir les fenêtres et les yeux, avoir du plaisir, conjurer le sort du politiquement correct. Une culture du plaisir... Entre l'Amérique du Sud, le Nunavut, Tofino, Cape Fear et Sugarbowl, j'ai bien peur de ne plus pouvoir me transgresser moi-même. Je suis trop sérieuse. Nous avons fait notre temps, tout comme Karla. Are we having fun yet?

J'ai toujours eu la conviction que je pouvais vivre n'importe où comme on dit pouvoir dormir n'importe où, apprendre toutes les langues, tout enseigner, être l'amie de tout le monde. Je peux, mais ma peau s'en trouve rétrécie et les cicatrices demeurent. Enseigner, créer des vagues, des remous plus ou moins vaseux, laisser des marques. Je me retire comme l'eau de la mer, je prends ma retraite, je laisse la place aux autres, j'abandonne le devoir d'être une bonne fille, moralement, académiquement. Je parle en mon nom, pour mon époque. Tu es loin de tout ça, un privilège en sorte, un cas de séduction d'une certaine façon. Tu bouges. Tes interdictions ou tes prescriptions ne m'atteindront plus, malgré l'imperméabilité de nos certitudes, où que tu sois. Je me trompe peut-être. Tu me diras. Tout est dans la lettre.

C/

•

5 septembre 2005
C/,

Tout est dans la lettre. Nous avons choisi la forme épistolaire. Je crois que c'est important. Nous avons décidé de défier la linéarité et l'autorité de l'écrivain singulier. Ni toi ni moi ne contrôlons la conversation, ce qui est à la fois stimulant et inquiétant. La sujette est morte. Et le texte transcende le privé ou le secret parce que nous écrivons au nom des autres.

Pour moi aussi, cet échange ramène un déjeuner sur l'herbe et l'histoire de Karla. Coïncidence ou non, j'ai trouvé dans le journal ce matin les lettres impudiques, dit-on, de Karla à son amant. Ces lettres, écrites avec des dessins d'oursons dans la marge, pleines de luxure, se transformeront rapidement en spectacle de la déviance au féminin, [homo]sexualisée et violente. Au delà de la justice et de l'injustice (comme tu dis, elle a fait son temps), le regard que ma culture jette sur cette violence me trouble.

Je ne peux m'empêcher de penser à New Orleans. Karla/Katrina, aucune relation... Qui sait? Il a fallu quatre jours après l'ouragan et trois jours après les inondations pour que la problématique raciale surgisse dans le discours. La pauvreté a la couleur des victimes abandonnées pendant des jours sur un toit ou ailleurs. Pauvres, noires, vieilles, jeunes femmes, jeunes mères, trop jeunes. Pourquoi ces rares allusions à la violence?

Karla/Katrina enchaînées l'une à l'autre, du moins dans ma tête. Je n'y vois que l'effacement de mon sexe, les lignes à peine visibles des cartes que nous avons dessinées, l'individualisation de pratiques systémiques et d'une nouvelle culture. Karla serait-elle un symbole? Nous oublions la raison de notre fascination tout comme dans le cas de Katrina. Les grandes catastrophes retiennent toujours l'attention, obtiennent un succès de box-office.

Je défie les conventions du genre, la politesse, le style. Je devrais te parler de mon jardin ou de la

tarte aux pommes à moitié brûlée que je viens de préparer, de l'odeur de cannelle qui envahit ma petite maison et qui ravit mon fils. Serais-je en train de t'induire en erreur ? J'aime l'image d'un juron qui se promène sans honte dans nos édifices. Dessine-moi l'espace du plaisir dans ta prochaine lettre, récrée la séduction des mots. J'ai bien peur de n'être bientôt plus comprise. J'ai peur de raconter mes histoires.
L

•

11 septembre 2005
L/elle,

« Où étiez-vous ce jour-là, il y a maintenant quatre ans, 9/11 ? » Question sans cesse reprise comme pour exorciser le quotidien. Ce matin-là, je sortais du lit, affolée par l'image d'un avion s'écrasant dans une tour de Babel et la vision postmoderne du déclin de l'empire américain. Ce n'était plus un fait de nature, incontrôlable. Il y avait derrière ce geste une volonté de repenser la civilisation, de terroriser, justifiant guerre et destruction. Islam, Irag, Iran. Si les villes, les ponts, les gens tombent comme des châteaux de cartes, je songe aux femmes « marquées », « traquées » par les cyclones et les vents ravageurs.

Pour dire le vrai, l'analogie phonétique Katrina/Karla me rappelle la fragilité des sons humains. Peep-show par excellence, la nouvelle choque. Curiosité malsaine. Une fois la ville ravagée, seuls les excréments, les noyades, la misère survivent. Il aurait fallu renforcer les digues à l'époque de Louis Armstrong. Tous ces visages noirs fixés sur l'œil de la caméra. J'ai souvenance de la beauté dévastatrice des tropiques, d'une mer débordant sur le Malecón, d'un groupe de musiciens cherchant des instruments perdus sous la pluie. Faut-il sauver le Picasso ou le chat?

Je ne peux ne veux pas traduire tes analyses. Les événements nous accrochent et je refuse de tout rationaliser. Tu catégorises tout, trop. Je ne tiendrai pas compte de la pauvreté des femmes, de la violence du langage, de l'effacement du féminin, de mon érosion parfois, du style. Je choisis le jardin.

J'aime avant tout l'émotion qui se glisse comme un malentendu dans le mouvement de tes lettres. Faits, règles, codes s'évanouissent sous le poids des mots et des images. Une femme de science. Au fond, tu me ressembles. Je veux bien te ramener dans ma salle de cours, enfin celle que j'imagine et que je récrée sous forme de roman. Que ferions-nous, où irions-nous sans la parole? Que serions-nous dans la pure distance du monde? La crainte que j'ai de sombrer dans l'anonymat, de ne plus appartenir à la vie active, de ne plus être normale, de devenir invisible, absente, loin, comme tous ces vieillards enfermés dans des résidences pour personnes âgées, trop jeunes pour s'en aller, comme on dit, cette crainte n'a d'égale que l'étendue de ma bibliothèque. Tous ces livres dont on rêve, toutes ces heures, toutes ces défaites, tous ces crimes passés et présents ne seraient plus qu'une posture, un cadre, comme s'il me fallait constamment contrôler les dommages, assembler les pièces du casse-tête.

Prendre sa retraite, s'installer dans l'œil de l'ouragan, faire de sa vie une tourmente, que le papier devienne mémoire, que le vent tourne les pages quand je dors. Tu me manqueras autant que la grande bibliothèque. Les cafés, les conversations tumultueuses, nos réunions, le regard des collègues devant mon arrogance, toi, le vin et la fumée, les lapins de neige cherchant à nous séduire, autant que le dernier jour de la session d'hiver, autant que le son de ma voix qui prêche dans le désert, un sentiment d'appartenance malgré tout, la dissémination de nos sens. Enfin, je m'ennuierai de moi-même. Mais je reverrai les fissures de cette vieille bâtisse qui nous habite et je m'assoirai entre les pierres, prête à ourdir une légère toile d'araignée.

Quand le corps de la vague se retirera, les poissons avachis sur le sable te diront que tu auras été mon auteure préférée, lue et relue pour le plaisir. Je sais bien que je m'insère honteusement entre tes lignes. Mais n'était-ce pas là notre propos, pour le meilleur ou pour le pire?
C/

•

8 octobre, 2005
Chère C/,

J'ai mis du temps à répondre. La vie intervient, nous emprisonne. Mais je sais que tu sais. Nous ne sommes pas de ces femmes dont nous parlons, qui n'avaient d'autres choix que d'écrire des lettres et pour qui les mots tracés d'une main précise coulaient hors de l'espace limité du mariage, de la maternité et de l'enfermement. Nous appartenons à l'instantané, à l'imaginaire. Je me souviens de lettres écrites à la main, d'une écriture presque illisible, d'une encre noire, de cartes postales, de l'attente désespérée du retour de la poste, et de la joie, de l'inquiétude et de l'agonie que me causait le sens des mots. La jouissance est dans le mot, le non-dit bien sûr, l'érosion de l'intention, le bonheur de l'échange. Si tu es la vague, emporte le poisson mort. Ne me laisse pas seule sur la grève.

Je songe moi aussi aux tempêtes de mon enfance, aux orages de mon île. J'ai adoré ces bourrasques de vent qui piquaient mes joues, me laissant aveugle et sans le souffle. J'adorais ces bancs de neige qui envahissaient les rues, les champs et ma maison comme des vagues à la dérive mais j'ai toujours préféré les orages électriques. Tous ces vents qui chambardaient tout sur leur passage réarrangeaient la plage et définissaient mon été. Et après, il n'y avait plus qu'à nager, indéfiniment, dans l'eau chaude de la mer, et à perdre le contrôle dans l'attente de la plus haute vague, celle qui projetterait mon corps de petite fille au loin et qui remplirait mes narines et mes yeux de sel. Et je me retournais tête-à-queue, défiant l'eau envahissante et dangereusement perméable.

Tu écris que l'eau s'infiltre dans les trous de nos institutions. Dans le vin et le café aussi, qui rendent le partage possible. Toi et moi, nous sommes cela, ancrage et mouvement, une langue articulée autour d'une femme démoniaque et d'un terroriste terrorisé par la mort. L'une et l'autre. Sous tes accents français et hispanique, je pressens parfois le refus de mon architecture anglo-saxonne, le doute face à ma manière d'être. Or,

de grands dérangements viennent interrompre le flot de ma raison. Quand les digues cèdent, la prison et les frontières s'élèvent. « Laisse-toi aller », me recommandes-tu sans arrêt, juste pour voir jusqu'où tu iras. Les algues ont besoin de l'eau tout comme les fleurs qui poussent au cœur du désert. J'aime avoir le dernier mot.
À toi toujours,
L

●

Juin 2010
L,

   Ta dernière lettre semblait si finale. Le dernier mot? Que s'est-il passé? Rien. Entre toi et moi, une histoire à dormir debout. Sans commencement ni fin, sans épiphanie, sans paroxysme. Et puis, je n'ai jamais été constante. Donne-moi des nouvelles tout de même.
C/

# Nature morte

Conscients d'être voués à perdre nos amours, nous sommes endeuillés peut-être plus encore d'apercevoir chez l'amant l'ombre d'un objet aimé, anciennement perdu.

JULIA KRISTEVA,
*Soleil noir*

Mirna referme le *Cantique des plaines*, sent la sueur lui glisser le long du cou, la jupe entre ses cuisses entrouvertes au milieu de l'été des prairies, un été sec suffocant comme elle les aime. Au début, elle n'en avait que pour ce soleil déchirant qui justifiait son désespoir long comme ces soirées de juillet. Elle aimait s'étendre à longueur de jour, prolonger son corps de jeune femme au bord de la piscine. Imperméable. Le regard des autres ne filtrait jamais le fin duvet qui la recouvrait.

Ce chant l'épuise. L'auteure y raconte la passion incontournable d'un homme pour le temps, un être déchu au fil des ans, vaincu par une plaine aride sans joie, une plaine qui s'acharne à mettre au monde une forme d'exil. Depuis son retour, Mirna imagine un espace autre, dénudé, insignifiant. Ce vide la rassure, elle sait désormais qu'elle n'a plus à trouver un sens à son existence, le vide lui suffisant en tout temps, se donnant tout entier, sans limites, sans exigence, avec certitude.

Le ventilateur s'est arrêté. Mirna savoure l'immobilité de la pièce à peine dérangée par les sons qui proviennent du dehors. Une mouche colle au plafond. Mirna songe à se lever, interprète le mouvement de son pied comme un désir de bouger. Il faudra prendre une douche, brosser la chevelure mouillée, choisir une robe, descendre l'escalier, affronter le trottoir brûlant, se souvenir d'un avant.

> l'été dernier
> ils avaient exploré la chaleur ensemble
> deux corps de bonheur de salive
> de sécheresse et de pluie
> goûté la vanille bu à satiété
> parcouru des mauvaises terres
> rejoué *Summertime, and the living is easy*
> passé des jours entiers à rire des passants
> à avoir chaud au cœur

Mirna ne circule plus que dans sa tête. L'asphalte lui saute au visage, laisse une odeur de goudron tout autour. Un projet d'écriture trotte ici et là, se loge dans l'échancrure de son décolleté. Un projet obscène, pense-t-elle, un traité impudique, plein de cochonneries. Dans le *Cantique,* les femmes sont prudes telles les grands-mères d'autrefois. Mirna croit que ce sont des histoires pour revenants tout ça, racontées par des prêtres pour effrayer les vierges folles auxquelles ils rêvent.

Au milieu de sa plainte, le livre n'avance pas. Elle referme les pages annotées, y enferme les ailes d'un coléoptère prisonnier d'un été persistant.

> dans le livre de Mirna il ne se passe rien
> l'air s'infiltre au travers des anneaux d'argent

une aiguille à tricoter inscrit l'envers et l'endroit de
l'épiderme
parois doubles épaissies sous la lunette du spectateur
tout semble trop gros tout à coup pour la narratrice
le masque se loge toujours en dedans
à la limite de celle qui se donne en spectacle
la fille des trottoirs des coins de rue d'à côté

Mirna s'attarde depuis des siècles sur le corps des femmes, se penche sur son désir de lécher les images les parures les toilettes l'apparat les formes de torture entrevues au Musée de la civilisation. Pratiques étranges, songe-t-elle. Elle s'attarde aux paupières, aux lèvres, à la langue, aux seins, au clitoris. Elle reste pantoise. Elle fait encore une fois le vide autour d'elle. Un jour, elle a senti son corps se déplacer au milieu de l'histoire.

l'énumération permet de saisir la situation
range Mirna parmi les vivantes les trouées
les femmes ordinaires

Mirna perforée depuis l'été dernier
se demande ce qu'elle ressent face au geste de l'autre
il tient dans ses doigts un morceau de chair
semblable au précédent
indiscutablement jeune et morose

elle voudrait toucher s'asseoir sur les corps exposés
faire toile tâter le poids de l'orifice
se déshabiller au passage, flairer la nuit
explorer ses cicatrices converser

Mirna sent la pesanteur du temps l'envahir. La canicule pénètre les draps laisse des taches fétides sur le matelas usé. Le soleil se couche sur ses membres affaiblis arrose les murs verdâtres d'un soupir inaudible. Les yeux de la fenêtre jaunie en cette fin d'après-midi se ferment. Le dehors s'insère par la brèche de la moustiquaire, étouffe la gorge de Mirna, magnifique en ce dernier été de sa vie.

Plus tard, les voisins ont enfoncé la porte et trouvé une vieille femme morte dans son lit à côté d'un insecte en décomposition. Quelqu'un a noté une tache noire dans le cou. On a d'abord cru qu'il s'agissait d'un tatouage mais ce n'était qu'un minuscule scarabée séché qu'on enleva avec le doigt.

Il a fait trop chaud cet été, ont-ils dit. Personne n'a compris pourquoi la fenêtre était fermée, pourquoi la femme s'était protégée d'une épaisse couverture par un temps pareil, pourquoi ça puait autant, pourquoi le verre et la carafe étaient vides, pourquoi elle s'était enlevé la vie, elle autrefois si belle, si intelligente, si douce.

Il y avait des livres et des vidéos partout, des livres et des films pornographiques, ce qui explique sans doute qu'on ait veillé son corps jusqu'aux petites heures du matin.

# Fissures, cicatrices et *last call*

Le bar est rempli à craquer. Johanne et Nicole viennent d'arriver. Elles ont déjà commandé leur martini. Elles prennent toujours un martini avant de passer à la bière. Elles discutent tatouage. Johanne veut un papillon juste en haut des fesses et Nicole rêve d'une petite rose sur le sein gauche, mais elles n'osent pas. Pas encore. Leurs chums les encouragent, comme s'ils avaient besoin d'approuver, mais qu'arriverait-il si elles n'aimaient pas le dessin, une fois étampé en rouge et vert ou violet sur la peau. Elles privilégient le mot kitch, le répètent sans arrêt, à propos de tout et de rien. Et puis, se disent-elles, c'est à la mode et presque toutes les filles en ont un.

Quand les gars arrivent, la conversation s'anime. «Y a pas de quoi fouetter un chat!» déclare Jean-Pierre, affichant ses deux aigles noirs sur l'avant-bras. À ces mots, le décolleté de Nicole s'effondre. D'un geste presque invisible, elle se remonte les seins pour mieux saisir le sens du regard de son amoureux. Une sorte d'enfantillage, soit, mais qui en dit long sur ses intentions. Un chat, au lieu d'une rose, ça serait drôlement chouette. Un chat qui miaule ou qui se lèche les babines. Unique. Elle n'a jamais vu de chats accrochés au mamelon d'une chatte. Elle embrasse d'un coup un Jean-Pierre sidéré par cet élan venu de nulle part et se tourne vers Johanne dont le fou rire contagieux s'étale sur le bar. Le rire dérange parfois. Un rire au milieu d'un alcool frelaté, un alcool de bois, une gueule de bois en quelque sorte. Johanne se tape les cuisses imaginant un gros matou noir et blanc se promenant sur la devanture de Nicole.

Nicole n'en démord pas. Si elle se décide, ce serait un beau minou ronronnant de plaisir. C'est tout de même plus original qu'une rose solitaire dans un jardin d'arrière-cour, plus alléchant qu'un vulgaire papillon, insignifiant, qui ne sera toujours qu'une larve en attente, une empreinte volatile, fugace, une impression, un déplacement. Si elle se décide... Nicole se considère une fille sérieuse en quête d'accomplissements et de révélations, elle s'enfarge dans ses mots quand elle parle de son avenir, confond ses désirs avec des portes tournantes qui la ramènent souvent au point neutre là où se cache l'inconscient. Lieux de tourmente. Elle se ronge les ongles depuis l'enfance.

Johanne, plus pragmatique, consulte son horoscope tous les jours avant de sortir, question de vérifier si elle doit s'ondoyer d'un parfum agressif, un *Poison*, ou d'un *Clair de lune* tamisé, ombrageux, suggestif, langoureux, un *Amarige*, un *Lolita*, peut-être. Si on lui annonce une rencontre prometteuse, elle parie gros sur les odeurs, toutes les odeurs, malfaisantes, nauséabondes, chaleureuses, subtiles, impensables. Vanille et cannelle, cacao ou cèdre, orchidée, jasmin et santal, odeurs de bois et de musc. Ange ou démon selon les circonstances, *Sexual* ou *Belle d'opium*. Irrésistible, épicée. Elle craint que la pluie n'efface les traces qui circulent dans son cerveau. Elle prend des précautions. L'idée d'un chat accroché au sein gauche de sa compagne lui paraît saugrenue. Non, l'idée du chat ne lui plaît pas. Quoiqu'on dise d'un papillon affiché à la chute du dos, dans sa tête, l'image se profile comme une sorte de promesse, un érotisme moins honteux, une descente en toboggan, un terrain glissant, une perche. Elle a exploré la chose, acheté un kit de tatouage temporaire, *Les Trompe l'Œil* de Chanel, et elle aime le jeu. Elle se doute bien que la vue du papillon anonyme, immobile, figé de façon permanente sur la peau exigera une pause, un compromis, une manière de parler, un racolage de clichés aussi. Mais Bruno est d'accord pour le papillon. Nicole les perd de vue.

Jean-Pierre, quant à lui, n'affiche aucune préférence. Nicole peut bien se barbouiller de toute la faune exotique du continent africain, tant qu'elle le laissera vagabonder sur son corps de maîtresse, il ne se plaindra pas. Il ose une main fourchue mais Nicole n'est pas d'humeur. Le rire de Johanne l'a profondément troublée. Ce tatouage n'était-il pas un pacte entre amies, un secret d'adolescentes attardées, un rite de passage? Ce rire, semblable à une fuite, l'a irrité au plus haut point. Le martini se réchauffe entre ses doigts, l'olive lui reste sur le cœur. Jean-Pierre essaie de remettre l'idée du chat sur le tapis mais Nicole n'écoute plus.

Malgré la confusion, le bruit et la fureur du lieu, les deux couples enchaînent une sorte de discours machinal, la volubilité n'en faisant qu'à sa tête. Ambivalents, ils se cherchent, se touchent, boivent à voix haute, s'éparpillant de temps à autre sur la piste de danse. La musique rage, épouvantée, effrontée. Le décor du bar semble s'effondrer. Les filles tentent de se rejoindre. Les gars n'ont plus rien à dire. On enfile les bières avec plus ou moins de conviction. Les robes se collent aux paroles des femmes. Il fait chaud.

Nonchalamment assises au bar, Johanne et Nicole se réconcilient. Elles jonglent pendant des heures avec le côté indélébile de la chose, imaginant l'introduction d'une encre perverse dans la peau, une plaie provoquée par un piquage inattendu se cicatrisant au fur et à mesure qu'une nouvelle langue s'insère entre les veines.

Il n'aura fallu que ce moment pour que Johanne et Nicole se décident. Se refaire un morceau de peau, se colorer le visage ou le ventre tient du vertige, se choisir un symbole, une couleur, hors murs, se titiller sous l'aiguille fine du graveur, en cet instant même, souffrir s'il le faut, ravaler sa peine, se dire que la vie vaut la peine d'être vécue, n'était-ce pas un peu retarder la mort? Elles se guettent, se savent prêtes, jouissent d'être là, tout près de la chair de poule étalée sur leurs frêles bras, mous et durs à la fois.

Johanne et Nicole rient maintenant à l'unisson, aux éclats. La jeunesse les rejoint. Les beaux risques de la jeunesse. Complices, elles se mettent en scène, objets de leur convoitise, s'inventent un présent qui n'a plus rien à voir avec leur entrée dans ce bar. Trois heures plus tôt, elles avaient peur d'elles-mêmes, le mot *possible* n'existait pas encore.

•

*Last call!* On se retrouve sous la pluie battante à trois heures du matin. Saint-Denis fait signe. Un taxi éclabousse le cœur des filles, se mêle à la sueur qui coule dans le cou. Les odeurs de la nuit montent, effacent les fragrances payées si cher. Johanne et Nicole marchent devant, pressées, échaudées par la folie de l'alcool et du rêve. La pluie n'a plus aucune importance. Indifférentes aux cris des garçons, elles ne pensent plus qu'au lendemain, au rendez-vous qu'elles prendront ensemble.

En fin de soirée, craignant les aiguilles et les cicatrices, elles ont opté pour un tatouage temporaire au henné noir. Elles ont entendu la mère d'une amie parler d'un atelier d'artiste, d'une femme magnifique nommée Luna qui avait même travaillé pour Céline Dion. Elles n'ont pas encore un cœur de pirate.

# Effets de plage

David a des principes. Il n'a jamais rien écrit sur le sexe, la politique ou la religion. Il a choisi de travailler sur les crimes des autres. Il n'a jamais tué personne lui-même. Il en a seulement rêvé. Il y songe encore parfois. Ce n'est pas qu'il haïsse bien des gens dans la vie mais il n'en croit pas moins que plusieurs individus mériteraient de mourir avant leur heure, quelle qu'elle soit, précisément pour des raisons liées au sexe, à la politique ou à la religion.

Pour dire la vérité, tout avait commencé alors qu'il n'était qu'un enfant rêvant d'une famille normale. Bien sûr, il apprit plus tard que ce concept n'existait pas. Il était sans doute l'être le moins dérangé de sa famille dysfonctionnelle. Quand il comprit que Robert, son aîné, était un vrai bandit, un voleur et un meurtrier, il décida de devenir criminologue. Il voulait comprendre son frère, sa rage, ses violences, son esprit déviant. Il le visitait régulièrement en prison, conscient du fait qu'ils ne communiquaient pas vraiment malgré l'apparent dialogue. Quand Robert s'est pendu, David s'est souvenu d'un homme rompu, tatoué jusqu'aux os, appuyé sur le mur d'un salon rose avec une bière dans la main, vêtu d'une ridicule chemise hawaïenne. Ses yeux noirs de suie perçaient la caméra. Il semblait absent, sans préoccupation aucune. Personne n'assista aux funérailles. Personne ne croyait aux prières, certainement pas pour les morts. Personne ne sait ce qu'on a fait de ses cendres.

David cherche un sens à ses obsessions. Il préférerait être différent mais il est un homme taciturne. Il marche le long d'une plage de la côte ouest et sourit aux chiens qui jappent et courent frénétiquement autour de ses jambes. Il observe quelques figures géométriques abandonnées sur le sable mouillé. Tôt le matin, à la première éclaircie, il se prend à caresser les vagues d'un pied léger. Plus loin, il fume une cigarette, transi malgré le chandail de laine. Le vent charrie les cendres au moment où il se souvient.

Cet été-là, ils avaient décidé d'aller au bord de la mer pour les vacances. Leur fille en était ravie et sa femme n'arrêtait pas de lui répéter que l'air marin serait excellent, surtout pour lui. Tout le monde apporta son Mac pour l'excursion. Émilie passait des heures sur Facebook, un cellulaire à la main. Carole avait toujours l'air d'avoir quelque chose d'important à écrire. David n'ouvrit même pas son ordinateur. Pourquoi le ferait-il ?

Alors qu'il marche sans cesse le long de cette plage esseulée, il n'est convaincu de rien. Il ignore ce qui pourrait être bon pour son esprit. La mort de son frère, quelques années auparavant, l'avait transformé en un être sauvage, presque inhumain parfois, comme s'il avait choisi son destin, comme s'il n'avait pas de cœur, comme si son cœur logeait en dehors de son corps, sur un trottoir, attendant patiemment d'être ramassé, par compassion, si le besoin s'en faisait sentir. Le cœur et l'esprit appartiennent au même registre selon lui.

David travaille sur la géographie du crime. Aussi croit-il pouvoir conserver une distance nécessaire face aux récits morbides qu'il étudie. Le lieu du crime lui semble en effet plus captivant que l'auteur ou la victime, bien qu'il doute à plusieurs reprises de son choix. Le meurtrier n'est-il pas objet d'une forme d'abus ? Pas très logique, pense-t-il parfois, sa théorie ou plutôt sa méthodologie offrant l'avantage de garder l'image de son frère dans un cadre favorable car Robert n'avait jamais été méchant. Victime des circonstances, les parents, l'école, la loi, l'envie, la douleur. Il n'arrivait pas à se contrôler, c'est tout. Tous les cas qui défilent sur la table de travail de David le lui rappellent. Il élabore un tableau susceptible de repenser culpabilité et innocence.

●

*Je sais bien que mon existence ne fait plus sens. Dessiner des cercles vicieux autour de ma mémoire est inutile. Je le sais. J'ai 55 ans et Carole, ma femme, prétend que je nourris une tumeur au cerveau et que je devrais arrêter de jongler avec ces idioties. Carole tolère difficilement ma curiosité obsessive pour la vie aberrante de mon frère. J'ai amorcé une collection de tous les documents se rapportant au procès, photos, articles de journaux, lettres d'avocats, billets personnels, rapports juridiques, enfin tout ce qui peut m'aider à le comprendre. J'ai lu et relu ces documents des milliers de fois mais mon frère m'échappe encore. Je conserve tous ces papiers à mon travail au cas où il y aurait un incendie à la maison.*

*Lui et moi, nous allions partir en voyage. J'avais promis de ne pas l'obliger à visiter plus d'un musée par ville. Il adorait l'atmosphère des snack-bars, l'odeur des frites, les conversations nonchalantes, les filles faciles. Moi, je l'attendais, sur la banquette du coin. Sa façon de prendre ses aises, son indifférence, m'émerveillait. En réalité, j'avais un peu peur de lui. Toutefois, sans doute, je l'aimais trop. C'est sans doute la*

*raison pour laquelle je le laissais conduire mon auto. Fasciné,*
*je suivais et cherchais la sortie. En vain.*

•

La morosité de David affecte grandement sa femme
et sa fille. La plupart du temps, il les ignore. Durant ses
longues promenades, il comprend que son frère est avec
lui sur le rivage, plus réel que ce que toutes les informations recueillies depuis le jour de sa mort lui avaient révélé.
Assis sur un bois, il contemple la mer, interrogeant les
restes de la marée haute. Cet exercice solitaire lui procure
un sentiment de soulagement. Ironiquement, il a honte
de lui-même, de sa vie. Son frère se serait moqué de lui.

•

*J'aurais sans doute dû ranger la filière, J'aurais dû aller à*
*Hawaï avec Carole. Peut-être eût-il mieux valu préparer mes*
*cours. Ou mieux encore, parler à ma fille.*

•

David écoute la populaire série criminelle *CSI*. Il aime
la charlatanerie hollywoodienne, les fausses évidences,
les multiples assassinats, les pseudo-expertises médico-
légales, la pseudo-intégrité des détectives. Dans tous les
cas, il éprouve beaucoup de plaisir à résoudre le drame et
à miser sur les bons ou les méchants.

Les trois partagent la même chambre. Aussi sentent-ils
le besoin de s'éloigner les uns des autres et de prendre
l'air. Pour David, chaque bouffée d'air devient une évasion
nécessaire.

Émilie sort tous les soirs. Elle fréquente les cafés du village. Personne ne s'en inquiète. David chérit ses absences. Il aime sa fille quand elle est loin. Sa voix comme un reproche. Ses prétentions d'adolescente, son air d'en savoir toujours plus que ce qu'elle veut bien en dire. Ses tendresses soudaines, déplacées. David a besoin d'intermédiaires pour parler à sa fille, elle le sait bien et lui en veut.

Quand elle est rentrée ce soir-là, le dernier soir des vacances, le visage amoché, stoïque, irréductible, il ne dit pas un mot, craignant le pire. Elle refuse les soins de sa mère et disparaît sous la couverture. Une heure plus tard, un seul cri, une seule plainte.

David comprend qu'Émilie a pris la forme d'un insecte coagulé dans la boue, que la peur s'installe en elle, en lui, qu'une cicatrice creuse un fin sillon sur son ventre, qu'elle lui échappe.

●

*Je n'ai jamais fait de recherches sur la violence faite aux femmes. Jusqu'à maintenant, ça ne me concernait pas. À vrai dire, ça ne m'intéressait pas. Hommes ou femmes. La violence sexuelle ne faisait pas partie de mon univers. Je n'ai jamais cru que ça pourrait m'arriver. Je suis un homme après tout. Je ne croyais pas plus que ça pourrait arriver à ma fille. La possibilité d'un viol m'effraie. Le mot, l'idée même d'une vengeance tourne dans ma tête. Mais par où commencer ? Or, tout d'un coup, au milieu de notes accumulées tout au long des années d'enseignement, le meurtre semble émerger comme une voix pour briser le corps de l'autre. Une voix perce la peau de l'autre.*

●

David n'est pas un homme violent. Il aimerait pouvoir le devenir mais il ne possède aucune arme. La mort est une forme de viol et il ne peut que tenir la main d'Émilie dans la sienne.

•

*Serais-je un lâche? Émilie ne m'appartient plus. Elle loge dorénavant ailleurs. Son territoire m'exclut.*

•

L'agresseur avait fui dans la forêt. Les policiers n'ont rien trouvé. Sur le traversier, David et Carole complotent. Ils envisagent une thérapie, ce qu'Émilie refuse avec véhémence. Ils n'insistent pas, croyant bêtement que le collège, les amis, la maison arrangeraient tout, son humeur au moins. Un malaise permanent s'installe au cœur de leurs conversations, bloquant les sentiments, fermant les portes, éloignant le remords. Émilie vit désormais dans sa chambre.

Le viol avale la parole d'Émilie. David désire lui parler mais il ne peut que confronter sa propre ignorance. Les livres se referment sur lui sans jamais laisser entrevoir un savoir qui faciliterait la communication. Il continue de l'aimer en silence.

Un jour, un coup de téléphone. On avait identifié le coupable, un père de famille, gros, fort, incapable d'articuler sa faute. Ils sont retournés au lieu de leurs vacances. Lors de la parution, on a dit qu'elle n'aurait pas dû marcher sur la grève si tard le soir, que quelqu'un aurait dû l'accompagner, qu'elle avait même été plutôt passive, qu'elle ne se souvenait pas des traits de l'homme, qu'elle avait refusé de parler, qu'ils étaient partis trop vite, que le viol n'avait pas été confirmé. Dans sa tête, Émilie plaide non coupable d'une voix rauque qui traîne encore sur les bancs pontifiants de la loi. La condamnation de l'homme ne change rien au fait que le pas d'Émilie se fait de plus en plus lourd.

•

*Je ne vois plus le crime de la même manière. Il y a toujours un angle différent à considérer. Le crime déplace la notion d'innocence, certes. Je me souviens de mon frère. À ce que je sache, il n'a jamais violé personne bien qu'il ait écorché quelques vies. Pour Robert, tout était un jeu. Il était convaincu que la société ne méritait pas mieux. Un héros ? Hier, j'ai brûlé ses photos et détruit les deux immenses boîtes dans lesquelles je nous avais enfermés. Ses crimes n'ont rien à voir avec ceux que j'étudie.*

•

David cherche un signe, un détail, une preuve, une pièce d'évidence qui illuminerait son existence, qui donnerait un sens aux histoires de son frère et de sa fille.

Assis à la table de cuisine, David contemple l'automne dans sa troisième tasse de café. Il attend sa fille. Il se souvient avoir longtemps attendu son frère, son rire, son exubérance, sa folie, sa mort.

•

(La marche d'Émilie se fait sournoise. Elle entend le murmure de la ville et se faufile parmi les ombres urbaines avec vigilance. L'odeur de l'asphalte pénètre l'air qu'elle respire et ses pieds dessinent des traces ineffaçables dans sa mémoire de jeune femme. Sa mère s'attarde sur les rides de son miroir. David rêve de terres lointaines, de pages vierges sur lesquelles il inscrirait sa signature. Il songe à la cruauté de l'histoire, à l'odeur et au poids du crime, aux réconciliations.)

# Lieux communs

Tout le monde me dit que je ressemble à Cher. Or, depuis ma dernière injection de Botox, ma bouche ne correspond plus à celle de Cher, ce qui m'angoisse profondément. J'ai déjà modifié le nez, éliminé quelques rides, effacé les taches brunes au laser, rajeuni la peau, augmenté puis diminué les seins, mais je n'arrive plus à reproduire le sourire figé de l'actrice. Les lèvres semblent plus épaisses et les joues moins gonflées. Toujours à partir d'une photo de la chanteuse, le chirurgien m'a promis que, cette fois-ci, j'atteindrais presque la perfection. Mais maintenant, la déprime m'envahit. Mon visage me plaît de moins en moins et je ne sais plus quoi corriger.

Personne ne me donne mon âge, bien sûr, mais je me sens de plus en plus mal dans ma peau. J'ai pris un autre rendez-vous pour mon ventre et je jure que ce sera la dernière liposuccion, la dernière intervention. Mon psychiatre m'a parlé d'un trouble psychologique, d'une phobie, dit-il, et m'a prescrit des antidépresseurs que je prends à reculons. J'ai lu dans Google qu'il s'agissait d'une crainte obsédante, à tort ou à raison, d'être laide ou malformée. Les gens qui souffrent de cette obsession ont souvent recours à la chirurgie plastique. Selon le thérapeute, c'est vraisemblablement mon cas.

J'ai souvent des hallucinations. Je m'imagine marchant nue sur une plage déserte avec la mer pour seul miroir.

Les jours de grand vent, je me blottis contre les dunes déversant mon trop-plein d'angoisse. Je voudrais être gaie, nonchalante, légère, fugace, fuyante, fluide, allumée sous les gouttes. Périssable aussi. Je me demande parfois quelle partie de mon corps sera recyclable, quel organe interne, l'extérieur fondant s'effondrant au jour le jour irrémédiablement comme un bonhomme de neige au printemps. Je me désire bouillonnante, alléchante. Les échos quotidiens de tous ces corps me pressent telle une orange, je me vois juteuse acide mais d'une acidité généreuse, un bon vin capiteux et sec. Je me veux fermentée, à point, ivre, une sorte d'eucharistie sacrilège. Sous le couvert d'une vague, je hume à satiété les odeurs marines qui me traversent de part en part et puis se perdent au loin, loin de moi, de mes humeurs et de mes obsessions. Une pluie frissonnante me ramène docilement à la réalité. Je pense que je rêve éveillée. Je suis somnambule.

Dans la vraie vie, j'évite les intempéries. J'ai renoncé au soleil il y a des siècles, non par crainte du cancer de la peau, mais plutôt à cause de ces vilaines taches brunâtres, que même Lancôme n'efface plus. L'été, je songe à de fabuleuses tempêtes de neige, à mon amour désordonné de la froidure, des gerçures sur les lèvres, d'une sensation de bonheur, de vie, d'intensité, d'une blancheur infinie comme on parle d'énergie noire. Je trace alors des pistes reconnaissables et dessine dans ma tête des plantes androgynes fumeuses hallucinogènes miraculeuses. Je m'identifie à moi-même, égocentrique, selon mon fils. De ma fenêtre, je regarde les passants passer, tout comme ma libido.

Je viens de lire que Jane Fonda a déclaré que la testostérone est le secret d'une sexualité achevée, et ce à l'âge vénérable de soixante-treize ans. Il y a des limites tout de

85

même. Autant se masturber à l'ombre des pommiers en
fleurs, autant chercher l'âme sœur en soi. Autoréflexion,
réflexe de survie. Autant faire semblant que la preuve irré-
futable du point G existe. Selon Wikipedia, «une étude
menée sur dix femmes (tout un corpus!) a montré que
la régénération de ce tissu chez des femmes se plaignant
de dysfonction sexuelle féminine, voire érectile, augmente
leur nombre d'orgasmes de 40 à 50 % avec une satisfaction
de 70 % des patientes». Je me console en écoutant mon
émission préférée, *Extreme Makeover*.

On se refait une vie comme on se commande un corps.
Téléréalité. Le réel revient au galop. La fiction bloque
tout sur son passage. Enregistrer, remettre le son, l'image,
fixer le drame, le scalpel, au coin de la paupière, une ride
glisse, fissure l'œil d'une femme étendue, anesthésiée,
sous l'effet d'une chirurgie plastifiée, une femme qui n'en
revient pas de se contempler une fois la douleur envolée.
Tous ces changements comme des tatouages dits discrets.

Pendant des années, j'ai magasiné mon look dans des
revues de mode. «Tout est question d'apparence, de simulacre», je le savais depuis l'enfance. De temps en temps,
mon fils me rend visite juste pour voir si j'ai changé, si la
voix, malgré tout, reste la même, s'il est encore capable
de m'aimer, s'il me reconnaît dans mon rôle ingrat de
mère. Quand il ose me murmurer que je suis bien telle
quelle, je grimpe dans les rideaux. Il ne comprend rien
aux femmes, c'est évident. J'aurais préféré une fille, une
semblable. Mais je ne dois pas me plaindre. Il est gentil.
Il me sort, même. Il m'emmène chaque semaine prendre
un café ou un verre de rouge sur Saint-Laurent.

Je n'aime pas beaucoup marcher. J'ai l'impression que
ça abîme mes jambes et je crains de tomber mais, au bras
de Jean-Pierre, je me sens solide. Je me trouve bien dans

le reflet des vitrines. Je parle, bavarde, pérore. Un rictus au coin de la bouche, une grimace peut-être, un tic certes, une manière d'être. La vie semble m'appartenir.

Tout autour, les filles sont belles. Elles circulent dans la beauté d'une fin d'après-midi qui s'allonge, lumineuses, entêtées. Narcissiques. J'aimerais bien me reconnaître en chacune d'elles, inépuisables fontaines de Jouvence. Il faut aller dehors, il faut se balader dans les villes latines, s'épuiser à force de vouloir, flâner de l'œil, baiser, rêver, battre le fer quand il est chaud, changer de peau s'il le faut.

Je raconte sans cesse que la saison des amours est brève et qu'il faut cueillir les roses avant qu'elles ne se fanent, un lieu commun n'attendant pas l'autre. Je recycle des métaphores apprises par cœur dans mon ancienne vie de couventine, ce qui amuse mon fils. Du moins, il le prétend.

Je lui répète que j'aimerais bien qu'il se marie, qu'il ait de nombreux et beaux enfants, forts, intelligents. J'aimerais me contempler un instant dans la chair fraîche et ragoûtante d'un nourrisson, me sentir jeune à nouveau, renaître, me refaire une beauté pour les éblouir, tromper l'odeur du fard, chatouiller ces petites bêtes inoffensives. Jean-Pierre ne répond jamais. Pour lui, je suis une pure utopie. Il s'assume dans le regard de celle qu'il soutient. Il m'aide à traverser le trottoir, s'interrompant au feu rouge, le temps de respirer, de reprendre son souffle, de changer de sujet.

Je lui tiens toujours le même discours sur l'intérêt de la beauté. Je gère mes mythes, selon son expression, je calcule les pour et les contre, je remets de l'huile sur le feu, je me passionne pour de petits riens, artificielle, inventée, coquette. Je ne regrette presque rien au fond, seul le passage du temps sur le visage. J'aimerais me réincarner essentiellement sous mes formes originelles, quelque peu modifiée, mais être inévitablement, inéluctablement moi-même. Si je devais mourir demain, je ne presserais pas le pas. Je resterais là, entre deux âges, intacte, en apparence, au bras de ce magnifique fils ingrat.

Jean-Pierre me reconduit chez moi, m'embrasse, me souhaite une bonne soirée. Je reste seule avec mes inquiétudes. Je me contemple avec attention dans le miroir et constate l'apparition d'une nouvelle ride. Le malheur n'aura donc jamais de fin. Tel Sisyphe, je devrai assumer l'absurdité de mon existence. Je sors ma trousse de maquillage et m'enduis de crème antirides. Enfin, je soigne mes insomnies.

# Accommodement raisonnable

> L'Autre venu d'ailleurs fait peur en raison
> même de la fascination qu'il suscite.
>
> Madeleine Ouellette-Michalska,
> *Imaginaire sans frontières.*
> *Les lieux de l'écriture, l'écriture des lieux*

Je m'appelle Béatrice. Avant, j'écrivais Beatriz. J'ai changé mon nom parce que c'était plus commode, plus français. J'habite ce pays depuis maintenant trente ans. J'y suis venue à la fin des années soixante-dix comme réfugiée politique. Dès mon arrivée à Montréal, j'ai voulu devenir citoyenne canadienne. J'ai vécu dans la constante paranoïa d'être déportée sans aucune raison. Mon cas était bien légitime toutefois. Mais quand on a été incarcérée, bâillonnée, torturée, violée, on se sent à jamais nue, à jamais susceptible de mourir aux mains de l'ennemi. J'ai pris l'avion sans dire bonjour à personne. Tremblante tout au long du voyage, j'ai refusé de manger de crainte de tout régurgiter. Mes organes semblaient dispersés, mon esprit hagard. Penser était impossible, parler inutile. La sensation de perte augmentait à chaque minute. J'étais bien seule.

Je vis au Québec. Au début, je me suis demandé ce que j'étais venu y faire, comme s'il pouvait exister une réponse. Très rapidement, j'apprends le français, si semblable à ma langue maternelle. J'assiste, diligente, à toutes les réunions du Bureau de l'immigration et fais semblant de suivre la conversation du début jusqu'à la fin. Être immigrante, c'est pratiquement être absente, parler uniquement quand on vous pose une question, et surtout donner les bonnes réponses, celles qu'on attend. Je me souviens encore des premiers jours, de la pièce exiguë où on m'a retenue pendant des heures, des interrogatoires sur mon passé, de ma vulnérabilité, de ma fragilité, de la pluie derrière la vitre, de la traductrice, enceinte, de la prise de conscience que ça se passerait dorénavant ici. Je constate qu'on est nettement plus aimable que d'où je viens. Un avocat est présent et discute ma situation comme si je n'étais pas là. Il parle pour moi et me rassure avec un geste sur l'épaule qui m'inquiète. Pour sortir du pays, on m'a donné un faux passeport, évidemment, mais on me fournira éventuellement des papiers officiels. Ma timidité m'empêche de m'expliquer, de préciser comment j'ai réussi à m'évader avec un petit groupe de femmes. Devant le juge, je maintiens que je ne suis pas une vraie révolutionnaire et qu'on m'a arrêtée par erreur. Le gouvernement, lui, prétendait que nous étions tous coupables. On ouvre et on ferme des portes ici comme ailleurs. C'est étrange comme les portes se ressemblent quand on est fatiguée et qu'on ne peut se tenir droite sur une chaise.

Des gens m'attendent à l'aéroport. Je vivrai dans cette famille bien intentionnée pendant un an. Aucun d'eux n'a jamais fait de prison; leurs autos démarrent sans problème, même l'hiver, surtout l'hiver. Le thermomètre était un concept abstrait dans mon lieu d'origine. Y a-t-il un avantage à vivre sous zéro? Un ridicule bonhomme de neige planté dans la cour m'observe. Un vieux foulard gris, rose et noir l'étouffe.

J'ai déjà eu le sens de l'humour. Maintenant, je m'accroche à mes convictions. Je me souviens de mon enfance, du jardin de mon père, des yeux du facteur que je craignais, de la maison en stuc, de la bicyclette appuyée sur le mur blanc.

L'exil, une douleur qui perdure. Je revois un vieux film dans lequel une femme, vêtue de rouge, danse au rythme d'une mer déversant ses déchets sur la côte. J'avais l'habitude d'aller au cinéma les samedis après-midi. Dans ce film en rouge et noir, une sorte de mélodrame, la mère pleurait, le père criait. Il n'y avait plus de héros.

Je ne danse plus. Peu importe. Pierre ne me regarde même pas. J'ai rencontré Pierre au solstice d'hiver. On m'avait invitée à une soirée, pour célébrer le retour du soleil. Nous nous sommes vite retrouvés dans un lit moelleux et, pour un instant, j'ai cru pouvoir abolir la distance entre le nord et le sud. L'amour abolit l'exil, pour un instant. Le bonhomme de neige a vite fondu dans les bras brûlants de Pierre.

L'amour est disparu aussi rapidement que le bonhomme de neige. Pierre ne voyait pas le même film. Il n'appartenait pas à la mer mais à une terre de pierre et de poussière. Il écoutait les nouvelles pendant que j'apprenais à faire la cuisine. J'ai développé un réflexe de rejet et décidé de me tenir dans l'ombre. L'exil est la différence irréconciliable de deux corps.

Peu à peu, j'essaie de m'adapter. Je m'approprie la rue, la marche, la couleur du ciel, la langue, le regard des filles, les mails, la pleine lune, l'ennui. Mais je ne cesse jamais d'être une immigrante. On se moque de mon accent, juste pour rire. Je vois des hommes et des femmes tendre la main. Je ne peux rien offrir en retour, je ne possède rien. Partager ne fait plus sens. J'entends mes os craquer et change de trottoir. Le vent balaie ma peau sèche comme une écaille de serpent. Je ne suis évidemment pas à ma place. Les paysages familiers de mon Argentine perdue s'évanouissent dans ma mémoire. Pour moi, les gens d'ici sont tout aussi étrangers que moi, sauf qu'ils se sentent chez eux, ils ont des droits, ils ont des bénéfices marginaux. Certains jours, je les trouve tellement parfaits, trop généreux, prétentieux, entre la sauvagerie et la civilisation. Je me sens piégée. Ma liberté n'est qu'illusoire.

Pierre est parti. Bon débarras, comme ils disent. Je me suis mise à peindre. Un envol d'oiseaux migrateurs, leur bec accroché dans les nuages, une grande table comme un ciel de lit. Je passe des soirées entières dans ma chambre transformée en atelier, je rêve d'un Noël blanc égaré sur ma toile, je bois du *vino tinto*. Je croyais que l'art avait disparu dans ce coin de rue où l'armée m'a happée comme une chienne. Ai-je inventé la mort de mon père dans la caserne de l'Avenida Romero? J'aurais aimé reprendre la conversation entre bouche et rivière, là où les corps flottent, muets, tranquilles, furieux. La peur bloque le souvenir d'un ventre ciselé, d'une langue râpeuse distincte sur le col de l'utérus.

Je refuse de me joindre à mes compatriotes, pauvres *tangonistas*. Ma fille se moque de ma résistance, de mon refus de me souvenir. Pour Laura, tout est facile. Elle est née ici et croit en l'avenir. Quand elle vient chez moi, elle exige le conte, l'horreur du passé. Mais je n'ai pas marché avec les grands-mères sur la place rose et n'ai pas grand-chose à raconter.

L'exil loge dans les nuits insomniaques d'un duvet bleu. Un matin qui vient toujours trop tôt. La réalité me saute aux yeux, s'incruste malgré moi, à mes dépens. Vivre pour témoigner d'une aberration historique. Le vent tourne encore une fois.

J'ai des amies, Diane, Élise, Carmen, Catherine. J'envie leur confort, leurs sofas de cuir, leurs grandes fenêtres, le feu de leurs cheminées. Je ne l'avouerai jamais. Quand j'appuie mon dos tout contre la chaleur du foyer et que j'entends le crépitement des bûches, j'oublie le son de ma voix, les chants mélancoliques de mon pays, la tentation de la langue.

Je voyage, toujours inquiète. New York. Je crains qu'on me déclare terroriste. Au Musée d'art moderne, on a décroché *Guernica*. Je ne veux pas être retournée dans mon pays d'origine comme une œuvre d'art accrochée à un mur quelconque, statique. Le sang qui coule dans mes veines n'est pas de l'ordre de la reconnaissance, ni même de l'appartenance. J'ai lu quelque part que les continents étaient jadis réunis en un seul mégacontinent, mais qu'avec le temps ils se sont éloignés les uns des autres. Les artères communiquent. Une nouvelle géographie s'installe.

Au retour de New York, une chute dans l'escalier, la douleur d'une ancienne fracture ressuscite. Une blessure ancienne. Je crie, reconnais la limite inévitable du passé. Je cherche dans le visage indifférent du médecin un soulagement. La perte temporaire de l'usage de ma jambe droite ramène une vieille obsession, celle de la normalité. Comme si je pouvais un jour être normale. J'ai laissé mon long manteau en Argentine, j'ai abandonné mes petites et mes grandes lèvres entre les mains d'un homme fort, armé, j'ai perdu tout le reste le long d'une autoroute. Dans ce lit si impeccablement blanc et propre, je dors un peu et m'accroche à la certitude de la pleine lune. J'ai toujours soif. En sortant de l'hôpital, je m'étonne de ne pas reconnaître les arbres ni les couleurs de l'automne.

Toute chute est symbolique. Allongée sur le divan, dorlotée par ma fille, je m'émerveille de sa beauté, de la texture lisse de sa peau, de ses magnifiques yeux bruns, de ses doigts effilés, de sa figure médiévale, de sa tendresse. La nuit, je te serre dans mes bras, en cachette. Laura si jeune, et la vie devant elle. Tu possèdes une mère.

Alors, je te dis tout, presque tout. Je retrouve pour toi le fil de l'Histoire dans une boîte remplie de lettres, de papiers jaunis et de bijoux d'argent. Tu m'écoutes. Je te dis tout, presque tout, pour que tu saches pourquoi je peins ces masques, ces visages caverneux, ces faces déchirées, lacérées, ces traits déformés, ces yeux crevés par l'orage, ces bouches en sang, ces oiseaux de proie broyés d'un coup de pinceau féroce, ces corps déchiquetés, ces regards bouleversés, écrasés, aveuglés, ces membres rétrécis par la faim et le froid, ces autoportraits d'une femme ravagée par une longue blessure noire, infâme, que ni le temps ni l'espace ne peuvent cicatriser, un tatouage inscrit sur une peau ridée bien avant l'âge pour marquer l'assujettissement.

# La fiction d'Angéline

Personnage fascinant, la vieille fille parcourt
les littératures de toutes provenances et de
tous siècles. Renégate, paria, substitut de la
mère, objet de moquerie ou au contraire
redoutable femme d'affaires, elle inspire les
auteur(e)s qui investissent leur fiction de ses
multiples visages.

LUCIE JOUBERT, « Avant-propos »,
*La vieille fille. Lectures d'un personnage*

Angéline a entrepris de faire le grand ménage du printemps et la vieille Monique en est toute retournée. Elle
n'en a plus que pour les fils d'araignée. Les oiseaux ont
fui le domaine et la nature somnolente s'entête à rêver
autour des berceuses qui traînent sur la grande galerie.
Entre deux élans, Angéline se berce emmaillotée d'un
édredon dont sa mère aimait s'envelopper, bien avant
que sa fille n'incruste dans sa mémoire le goût amer de
l'amour. Angéline se dit que si le roman qu'elle lit à temps
perdu se prolongeait au delà du refus de vivre et de la
douleur, l'auteure peindrait son héroïne sous le signe du
présent avec pour toile de fond une page blanche, un
entre deux lignes où se glisserait le désir d'une vieille fille
à la peau douce et au regard fébrile.

Angéline se penche sur la grève séchant furtivement ses larmes. Il suffit d'une première neige pour que le souvenir de son père ressuscite l'odeur de moisi d'un autre temps. Il n'aimait pas qu'elle flâne seule le long de la rive, craignant toujours le pire. Elle ne savait trop à quoi rattacher le pire. Elle s'imaginait qu'un incendie d'océan surgirait du néant, qu'une main d'enfant volerait le sourire des femmes de pêcheurs, que le jour ne déverserait plus son lot de soleil sur la plage, que le remous de la vague emporterait tous les coquillages, que les pierres s'effaceraient sous la fine botte qui habillait sa cheville, que la chute de l'été serait éternelle. Mais ce n'était pas le pire auquel pensait le père d'Angéline. Le pire, pour lui, était tout simplement de la savoir seule avec ses pensées, sans l'ombre d'un bras pour la guider, sans l'ombre d'un doute.

À l'origine, il n'y eut qu'une longue confiance, tissée de fils tordus tel un tapis tendu sur une corde raide. Comme il était facile alors d'aimer, d'être heureuse. Tout autour de la demeure, son père avait planté des chênes et des érables qui n'en finissaient plus de protéger les fenêtres des mauvais sorts que la nuit aurait pu jeter à l'enfant. Mais l'enfant avait grandi, encouragée par la respiration effrontée du vent dans ses jupons de coton à volants. Ébahie, elle se tenait devant la glace qui lui murmurait des mots reflets, des mots salive, savoureux sous la langue. On aurait dit une jeune fille écervelée, prête pour le bonheur d'être là, dans un lit défait, en train de se refaire une beauté.

•

*Devrais-je retourner cent fois la langue avant de lui parler ? Devrais-je me serrer les dents pour qu'aucune parole ne vienne interrompre le flux* de ma pensée? Devrais-je effacer tous les mots au fur et à mesure qu'ils surgissent sous ma plume? Je ne crois pas. J'aurais aimé que le temps flatte mes traits, que l'amour envahisse mon cœur de femme, que le souvenir ne m'épuise plus, que sa foi m'échine. Il m'arrive d'entendre des voix écorchées à travers les murs de ma chambre. De pleurer jusqu'au matin. Ce carnet sera mon seul témoin.

•

Qu'adviennent l'hiver, la saison morte, l'ennui, le gel, l'enterrement d'une vie de fille, les chairs décevantes!

•

J'ai reçu une lettre que j'ai cachée dans la manche de mon manteau. De l'autre côté de la lettre, des mots de tous les jours me parviennent en écho. Des mots chantants, sanglants, cinglants. Si rien ne subsiste, c'est que je foule la terre d'un pas pressé, que j'ajuste ma robe de laine lourde de traditions. Il me semble que la littérature manque d'imagination. Les filles aiment leur père et les pères meurent, abandonnant leurs filles à des amoureux transis, insignifiants. Je m'accroche à ces histoires de fin de soirée racontées par un homme qui cherchait à me plaire. Je suis une nouvelle Angéline, une nouvelle terre, espiègle, malingre, rebelle. Le chemin qui mène à mon âme ne parle plus le langage harmonieux

97

mais trompeur du passé. En cette fin de siècle, je m'éprends de gestes fluides. Il avait souligné des passages dans tous ses livres, des inspirations disait-il, des rites à inscrire dans le quotidien. Moi, je brouille les pistes de son passage pour que se perde le sens religieux dans les armoires de pin.

•

Dans la salle à dîner, nous mangeons en silence. Seuls le son des cuillères d'argent et la nervosité des rares convives viennent rompre la sévérité des lieux. La séduction des nourritures terrestres, racines prometteuses, impensables, enfilées le long de la serre, s'accroche à mes cuisses comme des lierres jaunis par les premiers froids.

•

Angéline s'est mise à écrire. Elle n'a pas perdu de temps. Trois pages d'un récit tiré par les cheveux narré par une femme inquiète. Elle fait d'elle-même une fiction. Ne sachant trop par où commencer, elle remonte le fil du temps, insère un clair-obscur et une métaphore trouée, blanchie à la chaux, étalée sur les pages d'un cahier d'écolière qui prend de plus en plus l'apparence d'un reproche. Angéline se penche sur son cahier et s'étonne des bavures, des rayures, des gribouillis, de la lutte entre les points et les lettres, de ses intentions, de son désir. Parfois, elle s'étend littéralement sur la couverture noire et n'attend plus rien, étouffée par le cri des corneilles.

Le père d'Angéline n'est pas tout à fait mort. Figé, méconnaissable, réduit en miettes, il ne bouge plus, certes. Or, Angéline prétend qu'il s'obstine à la dévisager. Aujourd'hui, le trépignement de la pluie et les lamentations du vent enterrent sa voix. De la nature, Angéline emprunte la férocité et le mouvement de l'eau qui coule sans laisser d'empreintes. Elle aime quand les éléments se déchaînent. Celle qui a passé sa jeunesse à se contenir et à répéter les gestes appris par cœur trouve un plaisir inattendu à se promener seule, à sentir le danger plier la droiture de son corps, à permettre qu'une pluie effrontée érode son visage. Angéline rentre et se laisse tomber toute mouillée sur la causeuse, rit de se savoir trempée jusqu'aux os et maîtresse des lieux.

Angéline a longtemps pleuré cet être cher parti trop tôt. Elle avait pris l'amour pour un gage d'éternité. Elle prétend que la vie lui a coûté bien cher. Angéline tenait tout entière dans une inclination romantique, fiévreuse, sauvage. La belle Angéline n'attend plus vraiment le retour de son bien-aimé, s'expulsant d'un paradis terrestre trompeur. Urgence d'inverser le monde des pères. Angéline est devenue une grande fille qui se déplace, marche, voyage autour de son gîte, déballe ses sentiments, refuse la consolation, n'est pas en peine de son avenir.

•

*Hier, j'ai réuni toute la maisonnée. Je veux inclure tout le monde dans mes projets. Je veux refaire la volière que l'hiver a ravagée. Je veux redessiner le jardin, planter de nouvelles espèces, inviter la pleine lune de juillet à s'installer entre les feuillages débordants, éclaircir le sentier qui* mène au fleuve, nourrir l'étang de poissons, remplir la maison de poils de chats. Je veux repeindre les volets en rouge. Je veux m'étendre sur l'herbe et admirer le vol des hirondelles, je veux cueillir les pivoines rouge vin qui bordent l'allée centrale.

•

Le mot mémoire ne m'effraie plus. Je le moule comme on sculpte la glaise, comme on démaille un tricot, je le blanchis, je le peins de teintes d'eau, je lève le voile. Je polis mon destin. Je ne me souviens plus d'avoir égratigné mon visage, d'une chute dans le langage. Pourquoi aurais-je trébuché, moi qui connais tous les recoins de ma solitude. Hier, je me suis rendue à la falaise au bout du terrain. Une mer jalouse y fouettait le rocher avec entêtement. Le vent me rajeunit. Il paraît qu'il a effacé les marques de vieillesse sur mon cou.

•

Un décor de marionnettes me sert de théâtre. Je l'installe sur ma commode et répète un drame que je calque mot pour mot sur une feuille vierge. J'y joue le rôle principal. Une forme de renaissance me prend et je grimpe dans les rideaux de velours. Je suis toutes ces Angéline au cœur d'or, au gant de fer, l'intransigeante, la tendre, l'offensée, celle qui fait semblant, celle qui se donne, une poupée d'amertume qui n'a jamais posé sa main sur le sein de la mère, jamais plongé dans ses *yeux bleus, jamais eu le temps de s'apitoyer sur elle.*

•

La nuit, Angéline construit un nouvel épisode, plein de péripéties, qu'elle lira à haute voix vers quatre heures de l'après-midi. Angéline referme le cahier et se couche pour la millième fois, se borde sans l'aide de personne. Le fond de l'air est doux mais elle grelotte sous la courtepointe. Elle laisse sa fenêtre entrouverte. Le sommeil tarde mais elle ne s'en inquiète pas.

À l'aube, Angéline descend l'escalier en courant, se prépare un café bien fort, s'installe à sa table de travail et amorce un roman historique Nous sommes en l'an deux mille et elle sait pertinemment que son héroïne, inscrite dans les traces d'une femme ancienne, n'a plus sa raison d'être. Dans la cour, aucune trace de gelée. Elle ne tuera pas le père, repensera l'amour en termes d'épanchement, les mères y élèveront des filles fières et les missionnaires auront été expulsés des colonies.

Angéline se penche sur le front de son enfant qui vient tout juste de se réveiller et lui donne un gros bec juteux. Lui parle tout bas d'une vie nonchalante qui s'étire devant la maison. Étale son contentement, prend l'enfant dans ses bras, lui montre les grains de poussière qui dansent dans la lumière du soleil levant. « Tu sais, mémé appelait ça des poussières d'ange, à cause de mon nom. Drôle de nom, Angéline. »

# Le printemps de Prague

J'ai souvenir d'un cimetière magnifique aux allées bordées d'arbres généreux offrant une ombre rafraîchissante aux visiteurs du dimanche, se penchant parfois avec indolence sur les âmes contrites en allées trop vite et les cœurs rancuniers furieux d'avoir été si tôt remplacés. Nous y venions régulièrement. Nous longions les bougainvilliers roses, de fabuleux hibiscus et des poinsettias en fleurs débordant avec exubérance sur les sentiers de gravier. De hauts palmiers surveillaient notre promenade. C'est là que toi et moi refaisions le monde à la suite de Buñuel et de ses anges exterminateurs. Un café siroté sur une pierre tombale, une caresse impromptue, un corps chaud étendu sur les dalles de marbre noir. Notre passage dans ce paysage hétéroclite nous rapprochait étrangement de la vie. C'est là que nous lisions ces épitaphes, poèmes ridicules, dédicaces absurdes, vœux inutiles, citations tirées de la littérature enfantine ou de la Bible, inscriptions prétentieuses, clichés qui nous faisaient mourir de rire. Imbus de nous-mêmes, prenant de grands airs, nous récitions des vers sur les tombes inconnues. Nous nous croyions à l'abri de la mort, bien sûr, à l'abri des regards des passants. Tu me prenais par la taille et, de dalle en dalle, de mausolée en panthéon, nous repensions la culture de nos morts.

Il nous arrivait parfois de dénicher une perle, un passage dont le temps n'avait effacé ni le charme ni la saveur, disions-nous, la sincérité même, la tendresse d'une fille à la mère ou de l'amante restée fidèle à l'amoureux emporté par la brume. Que d'enfants enfouis sous la mer avant que de se loger sous la terre ! Que de belles à soupirer au clair de lune ! Que de regrets ! C'est là que nous nous asseyions, appuyés sur la carrure d'un cippe et que nous déclamions bêtement, pompeusement, pendant des heures, les *Mémoires d'outre-tombe* dont nous nous moquions bien. Un chien galeux venait nous écouter et se mettait à aboyer chaque fois que nous élevions la voix. Nous le chassions à coups de bâton, le traitant de sale bête et de vicieux. Le lendemain, nous le retrouvions rampant, affamé, impuissant, se mourant déjà.

Nous allions toujours au cimetière après le cinéma à cause de sa proximité, mais encore bien plus parce que le grand écran nous permettait d'inventer des drames bien réels à tous ces individus mystérieux gisant sous la couverture des pierres. Nous aimions l'heure plus que tout. Presque toujours à cinq heures de l'après-midi. Le soleil était encore haut et le ciel nous servait de paravent. Situé à quelques pas de l'édifice qui contenait tous nos rêves, le cimetière nous permettait une période de repos avant de prendre l'autobus bondé d'enfants et de badauds qui ne semblaient aller nulle part. Les majestueuses grilles rouillées de la célèbre entrée néoromaine s'ouvraient facilement sous le premier geste de la main et nous assuraient que le miracle allait se produire de nouveau, que l'enchantement des pierres se confondrait au film noir. Pour nous, tous les films étaient noirs, car nous en disséquions chaque particule et en faisions l'autopsie afin de ramener tous ces corps profanes à notre angoisse, à notre rage, à notre envie de défoncer l'écran, à notre faim de liberté.

Nous allions toujours à gauche, d'abord pour saluer Carpentier enseveli sous des piles de mots, et puis nous foncions tout droit, sans hésitation, dans l'allée centrale, car on y trouvait les tombeaux les plus beaux, des chambres secrètes où trois ou quatre cercueils s'allongeaient. On pouvait les entrevoir par une fenêtre aménagée pour que les membres de la famille pussent y contempler leurs chers disparus. Nous nous attardions aux photos ou aux tableaux des défunts placés sur la stèle comme sur une commode, icônes délavées par la pluie et le beau temps. On cherchait toujours le portrait le plus noble, celui qui dirait la perte. Nous connaissions par cœur tous les monuments funéraires, toutes les répliques, italiennes et égyptiennes, simulacres en granit ciselés dans le paraître et la prétention, véritables demeures ornées de colonnes grecques, temples assyriens, architectures baroques, pierres tombales polies par les ans, recouvertes de fleurs de plastique. Nous nous reposions longuement sur les tombes collectives d'artistes de cirque et de théâtre, de vedettes de la radio et du cinéma, de martyrs et de vétérans, d'étudiants en médecine assassinés par le délire des colonels. La mort affiche son enseigne, au delà de la peine et de la défaite, ou de la victoire, ajoutions-nous. Nous faisions un train d'enfer loin des rumeurs de la capitale siégeant aux portes du cimetière.

Nous repassions les légendes qui circulaient sur les résidents de ce royaume ensoleillé. On disait qu'une Amélie, morte en couches, avait été enterrée avec son enfant à ses pieds et qu'on avait ouvert son cercueil un jour pour la découvrir avec l'enfant à son sein. Dans ce pays comme ailleurs, les femmes nourrissent. Tout un peuple soutenait le mythe, réclamant de la miraculeuse mère des faveurs qu'elle accordait au gré de ses caprices, sans doute. Toi et moi, nous refusions de croire à ces sornettes.

Il ne se passe pas grand-chose dans un cimetière, pensions-nous. Or, nous étions de plus en plus nombreux à nous y cacher à la nuit tombée. Nous n'avions certes pas peur des morts mais, quand nous nous rendions à la crypte de la chapelle octogonale où logeaient les derniers héros nationaux de ce siècle, un frisson parcourait alors nos veines d'adolescents. Les superbes fresques de Melero racontaient la grandeur et la terreur du passé. Nous savions que nous étions vulnérables, qu'un danger nous guettait, qu'il ne nous restait que peu de temps, que nous paierions le prix de notre audace. Mais nous marchions dans les sentes, poussant d'un pied léger le miasme qui montait dans l'air. Fallait-il être fous?

Quand venait la pluie, nous courions nous réfugier sous l'immense chêne qui abritait tout un pan du cimetière. Nous nous accrochions l'un à l'autre, désespérés, inquiets, fascinés par la foudre, entêtés. De refuge, le cimetière se transformait en forteresse, point d'appui, complot. Nous pensions que tous ces morts nous aideraient, qu'ils oseraient sortir de leurs fosses, qu'ils refuseraient d'être partis en vain, qu'ils soulèveraient la stèle de leurs prisons, qu'ils crieraient leur amertume, que, malgré leur immuabilité, ils bougeraient. Mais l'injustice, notions-nous, n'allait pas leur redonner la parole. Nous ne pouvions compter que sur nous, notre jeunesse et notre espoir.

Les gens ne priaient guère dans notre cimetière. Quand par hasard il nous arrivait de surprendre quelqu'un qui venait coucher des fleurs multicolores sur le pas du sépulcre ou au pied du monument érigé à la gloire du défunt, le jeu ne consistait jamais à évoquer l'intervention divine mais plutôt à ressasser le passé, reprochant le départ ou la fuite, lamentant l'absence, pleurant la faute. Conversation bloquée d'avance, bien sûr. Dieu entrait à peine dans le discours mortuaire. N'était-il pas Celui-là même qui leur avait enlevé la vie ? Nous, nous savions que parler de vie éternelle était inutile. Il faisait trop chaud dans cet endroit funèbre pour imaginer une survie. Le soir, la chaleur se mêlait à la brume qui sortait des tombes enfouies si creux qu'on ne pouvait exhumer que des illusions de corps.

Ici, les gens s'habillaient pour aller voir leurs morts. Les hommes mettaient des habits noirs, trop épais pour la circonstance, et les femmes, des robes blanches boutonnées jusqu'au cou avec des volants plein les jambes. Quant aux enfants, vêtus bien proprement, on les y traînait de force, au nom d'une reconnaissance familiale, au nom d'un héritage vétuste. Ils ne comprenaient rien à la mascarade qu'on leur imposait. Ils savaient seulement que la promenade allait se terminer par une glace à la vanille et c'est ce que le cimetière signifiait pour eux. Telle une carte de visite, les pleureurs laissaient sur les tombes une lettre, un poème, un mouchoir, un objet cher, un soulier aussi, symbole de la marche interrompue, un baiser, un couteau pour trancher à jamais un lien mortel entre l'homme et la femme, le père et le fils, une promesse de vengeance. Un jour, nous avons vu une jeune femme déposer un enfant enroulé dans des bandelettes tachées de sang et repartir aussitôt, comme si de rien n'était. Une autre fois, un vieillard avait apporté une chaise et deux bouteilles de vin. Il en a d'abord placé une près du cercueil et il a bu l'autre, lentement. Finalement, il a ingurgité les deux. Il s'est approché de nous et nous a dit que son frère n'aimait pas vraiment le vin rouge.

J'ai toujours aimé ce cimetière. Il n'était pas comme ceux de mon pays, plats, aux croix alignées, gris. Je le savais habité. Il ne respectait aucun ordre, il donnait et reprenait tout ensemble, il refusait la fermeture, s'accompagnait d'une végétation éclatante, exaltante, se donnait des airs séducteurs, nous soufflait des secrets sur la nuque, mélangeait jeunes et vieux, pauvres et riches, se taisait quand on rechignait avec hargne, ne consolait ni ne blâmait. Il avait un faible pour les belles dames éprouvées, leur promettait mer et monde, naviguait au gré des pas et des chutes, rigide sous le flot de l'histoire, souple quand on l'approchait, mystérieux. Enfin, il attendait patiemment que la vie s'arrêtât autour de lui, soupirant d'aise. Ce cimetière respirait une forme de tendresse oubliée par les hommes.

C'est là que toi et moi nous sommes aimés pour la première fois. Avec les yeux, les doigts, la bouche. Avides, nos corps se roulaient dans la poésie que nous composions pour ne pas laisser s'échapper la langue en nous. Tous les monstres marins se débattaient sur ton papier, tandis que moi, je parlais de moi, d'une fêlure éloignée, des grottes de mon enfance et du silence des bois. Nos mots prenaient vie dans cet espace, déclarions-nous, sûrs de nous appartenir. Tu étais beau et fier. J'étais différente. Un jour, je me promènerais dans cet autre grand cimetière de Buenos Aires, trop sombre, trop imposant, où dormait, après tant de voyages, le corps d'Eva, et je reverrais ton visage, notre étreinte, à la limite de l'attente.

Que s'est-il passé dans ce cimetière pour que je ne t'y retrouve plus? Avant, nous mélangions le politique et les sentiments, la famille et l'histoire, l'amour et la révolte. À force de lire ces inscriptions à la mémoire des morts, nous avons fini par effacer la cause. Nous avons fini par nier le gîte, les frères et les sœurs, la chaleur. À force d'avoir chaud dans ce cimetière et de dévorer la poussière qui asséchait notre peau de lézard, nous n'avons plus senti la lourdeur du temps, nous n'avons pas vu venir cinq heures de l'après-midi. Nous n'avons plus imaginé la fraîcheur de la nuit. Mais avant, il n'y avait rien de triste. Nous nous aimions et quand nous entrions dans le cimetière, c'était pour le plaisir du cinéma.

Je me le rappelle encore. Il y a toujours eu un traître dans le cimetière, avouais-tu. Nous savions que c'était lui, car il t'avait tendu la main le premier. Ses longs bras s'accrochaient facilement dans le corps des autres. On aurait dit un veston de lin tant ses mouvements recelaient des plis et des recoins. Il s'insérait dans nos conversations, ignorant l'à-propos, trébuchant au milieu de nos phrases, inventant de brillantes pirouettes verbales. Sa chevelure noire reposait sur ses épaules de forçat. Il n'en finissait pas de passer sa main bourrue entre l'oreille et le cou, prêt à bondir au moindre son de mitraillette. Toi et moi, nous suivions ses instructions. Au milieu de l'amour, une tentation, songions-nous. On se faisait des signes, on échafaudait des rêves d'un après riche de moissons et de sucre, on s'amusait, sérieusement. Avec furie, nous refaisions le chemin de la passion, écorchant nos sandales sur les stèles usées de tes ancêtres. Nous avions confiance dans le présent, et la brise nous portait sans en avoir l'air.

Pendant des mois, nous avons vécu entre le noir d'une cinémathèque et la lumière d'un cimetière peuplé de sages momies. Chaque jour, nous osions davantage. Orphées noirs, nous nous enfoncions dans la jungle des morts, dormant du sommeil des justes, semblables à des paresseux posés sur une branche, aux aguets. Nous fabriquions des armes qui servaient une philosophie de novices. Nous lisions *Ainsi parlait Zarathoustra*. Nous nous savions immortels. Sous la coupole des cénotaphes, nous baisions, éreintés, tourmentés, assoiffés, démesurés, soi-disant maîtres de nos soupirs d'enfants. Tu me recyclais, et moi, je fouinais sur ton ventre. J'interrogeais le plaisir. Au-dessus de nous, le soleil grillait la terre et créait de la sueur sous les aisselles, des rides dans le cou, des lamentations excessives, une fatigue séculaire, un désir de mourir, presque. La chaleur suffocante avait parfois raison de nous et nous fuyions, le temps d'une trêve que nous donnions à la mort, le temps de traverser la rue et de recomposer le pourquoi de notre existence, le temps de prendre un autre café noir et de peler l'orange que ta mère avait glissée dans ton sac. Mais nous revenions vite, porteurs d'une mission, pressés d'en finir, de ne plus voir les statues briller sous les reflets aveuglants du jour. La mort nous hantait, bien mal, murmurions-nous, douloureusement, assidûment. Une logique simpliste nous guidait, mais ça n'avait aucune importance.

En fait, ça ne s'est pas vraiment passé ainsi. Toi et moi, nous fréquentions le cimetière tous les jours, certes, au sortir du visionnement. Nous aimions le calme des lieux, la bizarrerie des visiteurs, le décor empesé, les arrangements mortuaires, les mots gravés dans la pierre, la structure de la mort. Les autres ne furent que des intrus. Devenus témoins par la force des choses, nous déambulions sans but, tranquillement, sereinement. Entre les escaliers et les flamboyants, nous nous étendions sans faire de bruit, jusqu'à ce qu'une forme d'inquiétude s'emparât de nous. Nous ne parlions plus que des autres qui envahissaient notre cimetière, nous entourant de leur sollicitude, nous torturant déjà. Une histoire d'amour avortée en fait.

Pourtant, à cinq heures de l'après-midi précisément, les soldats sont entrés. La mer au loin hurlait. La tuerie n'aura duré que quelques instants, le temps de rendre l'âme. Il nous est venu à l'esprit que nous étions là depuis des siècles, six pieds sous terre et bien au chaud sous les tropiques. Un jour, on en reparlerait dans les journaux. Vous seriez les nouveaux héros, des révolutionnaires. Il se passait donc des choses dans notre cimetière. Qui plus est, étonnamment, pour la modique somme de dix dollars, accompagnée d'un guide bienveillant, je le visite encore aujourd'hui. Tourisme improvisé, divine comédie, inflation funéraire, aurais-tu dit avec mépris.

# Pas de deux au quotidien

Luc ne parlait pas beaucoup et Suzanne entendait mal. Une grande partie de leur existence se vivait sous le signe du silence. Ils n'étaient pas si vieux mais ils marchaient lentement. Luc allait à la piscine tous les jours, y rencontrait des tas de femmes avec qui, curieusement, il jasait un peu.

•

*Un léger épanchement, le bref soulèvement d'un voile, une porte entrouverte, un lendemain, qui sait? Une voix sèche, une forme de désert, une gorge étouffée par la fumée, un mot qui ne vient pas, un oubli. Je préfère me taire.*

*La beauté de toutes ces jeunes femmes tatouées, en maillots provocants, ravive mon désir de plaire. Je ne vois que leurs corps bariolés plonger avec facilité une épée dans l'eau, elles ont toujours l'air de s'être noyées quand elles surgissent à la surface repliant l'eau dans un mouvement de bras invincible. Elles m'échappent. Je ne sais à quoi riment tous ces tatouages, plus vulgaires les uns que les autres, toujours plus abondants, couvrant toute la cuisse ou tout le bras. Elles s'affichent, effrontées victorieuses éclatantes éclatées repues ravies.*

•

Suzanne remet son appareil auditif. Quand elle sort, elle aime entendre le bruit de la ville, des autos, des arbres, des bribes de conversations, des enfants de la voisine, de la pluie. Elle aime acheter son pain à la boulangerie et dire merci au bon moment en échange d'un sourire. Malentendante, l'écho de sa voix tambourine dans ses oreilles. Invisible, elle traverse la rue sans regarder ni à droite ni à gauche défiant les klaxons stridents, les coups de freins successifs. Mauvaise perdante, elle se sait chanceuse et croit à son destin. Superstitieuse, elle ne craint rien, surtout pas la mauvaise humeur de Luc. Qu'il murmure, chuchote, souffle, crie, ça ne veut plus rien dire. Elle préfère ne rien entendre. Jeune, elle étudiait le piano. La vibration des notes, ses doigts sur le clavier, son dos légèrement penché, un corps frémissant, une joie inaudible. Chopin résonnait encore dans sa tête. Romantique. La professeure replace le métronome pour attirer son attention. « Les filles se laissent aisément distraire. Reprenez. »

Luc se lève toujours à la même heure. Il s'habille discrètement, sans faire de bruit. Suzanne dort de toute façon. La chatte monte sur le lit, la réveille, vient se coller tout près de son oreille droite, celle qui entend le mieux. Elle l'entend ronronner et se rendort. Les sons du matin annoncent une autre journée chaude.

Aujourd'hui, la piscine est fermée. Luc ne sait pas pourquoi et se sent un peu perdu. Sa serviette entre les mains, penaud, il retourne à l'appartement. Il lira. Il boira son café, il se penchera sur le rebord du balcon pour voir les filles passer.

●

*Les robes, les jupes courtes, l'été. Les seins à l'air, les cuisses dévergondées, les filles à bicyclette, le spectacle, mon show. Un tout petit peu vicieux. À peine. Je salive.*

*Suzanne vient me rejoindre avec son jus de melon d'eau. Je lui parle de la saison, du jardin communautaire, de tout et de rien. Elle m'entend mal. Le trafic, la radio de la voisine, les tondeuses, les mouches, et puis je parle trop bas pour elle. Je pourrais écrire mes mémoires. Tout le monde parle de son passé. Morose, tiède, insignifiant, passé, ennuyant. Suzanne adore le genre autobiographique. Féminin, dit-elle. Tous ces passés de femmes semblent la rassurer, lui garantir une sorte de présent, une voie, un tracé, une existence. Mais la voix me manque. Parler de moi sonnerait faux, vain. Je rentre. Nous irons au marché.*

●

Au marché, Suzanne parle à tout le monde. Elle fait la folle, s'amuse avec les marchands de fruits, pose des questions aux enfants, fait des gouzi-gouzi à tous les bébés, prend son temps. Perd son temps, pense Luc. Aujourd'hui, elle a mis une robe achetée à Hawaï l'hiver dernier, sa préférée, une robe noire avec des fleurs rouges et jaunes, et des palmiers verts, qui accentue sa taille et sa poitrine. Indisciplinée, elle touche les poires, presse les citrons, mange quatre ou cinq cerises, fait tourner un poivron dans sa main avant de le substituer à un autre, place son panier sur une étagère de légumes, revient changer une aubergine. Luc la suit de loin et ne lui adresse pas la parole.

Luc s'embourbe dans ses phrases quand il tente de contrôler sa femme. Sa langue fourche et il se tait, honteux. Absence de testostérone, impotence occasionnelle, incapacité temporaire. L'indifférence de Suzanne le blesse. Plaisirs solitaires. Fantasmes de Luc, fantasmes de piscine. Un vieil adolescent.

●

*Deux fillettes d'une quinzaine d'années ont détaché le haut de leur bikini pour se faire bronzer le dos. Elles placotent entre elles et s'étirent constamment pour boire ou remettre de la lotion protectrice ou réarranger la serviette ou se gratter la jambe ou remonter la culotte ou ajuster l'élastique ou le bandeau qui retient la chevelure.*

*L'indécence de leurs mamelons roses que j'entrevois à chaque fois qu'elles bougent me chatouille et m'indispose. Elles me jettent un coup d'œil et se moquent de moi. Vieux chenapan ! Je change de place et m'installe à l'ombre de l'unique parasol. Leur peau lisse me rappelle soudain la peau feuilletée et les fesses rondes de Suzanne.*

*Corps mature, appétissant, chargé. Cambrures. Séductions quand je la prends par-derrière, quand je la prenais par-derrière. Pas un mot ne sortait de ma bouche. De la sienne me parvenait une longue plainte de ravissement. Puissance du verbe. Vapeurs, sueurs, engourdissements, abstractions. Il fut une époque où nous parlions après l'amour, des heures de bavardage ininterrompu, une minute pour le café et la cigarette. Mots sortis de nulle part, mots d'ailleurs, mots mâchés, marmottés, rieurs, absurdes, inattendus, vagues, impossibles. Nous lisions au lit, échangions des passages, des signets, fredonnions, remettions le CD d'Ella Fitzgerald que j'aimais tant, réminiscences.*

*J'ai longtemps aimé le corps de Suzanne. Les prairies de Suzanne. Je l'aime peut-être encore.*

•

Luc revient, achète des fleurs. Plus volubile que d'habitude, il raconte l'histoire des petites filles. Suzanne sait bien de quoi il retourne. Elle en rit. Assis à la table de cuisine, une complicité se glisse entre eux. La porte patio est grande ouverte. Le vent s'accroche gentiment dans la voix de Luc. Suzanne écoute. Elle a préparé une salade de feuilles vertes avec des fraises et des noix, de la ciboulette et du thym, du citron et de l'huile d'olive. La fraîcheur d'un rosé colore les joues de Suzanne qui boit toujours un peu trop. Il se fait tard, la ville bâille, mais le jour n'en finit plus de se coucher. La lune tarde, l'ivresse fait son chemin.

Luc se lève encore tôt. Suzanne caresse sa chatte, relève le drap, se recroqueville et s'endort de nouveau. Une cafetière siffle dans la cuisine mais elle ne l'entend pas. La nuit, elle enlève ses appareils auditifs. Rêver lui suffit. Ce matin, Luc la réveille avant l'heure, l'embrasse dans le cou, et lui murmure quelque chose de doux à l'oreille. La vie de couple se résume à peu de choses.

Des signes traversent la mémoire de Luc et de Suzanne. Ils ont toujours les mots sur le bout de la langue, une langue apprise sur le bout des doigts, une langue qui se défait comme une maille, une langue qui se tricote à l'envers, populaire. Une langue avec une orthographe distincte, une série de lettres volées. Le premier parle peu, l'autre n'entend pas. De la bouche à l'oreille, les vases communicants s'inventent un quotidien, une manière de vivre, un contentement, une police d'assurance. La nuit aura raison d'eux.

Vie de couple. Pas de deux. Mille visages. Mille désirs. Multiples de trois. Soupapes. Amants d'un soir, amitiés de

femmes, amours de piscines, corps tendus sur une corde à
linge, chemises d'hommes à repasser, chemises de nuit, le
nombre grossit avec l'âge. Souvenirs de campagne, pistes
de courses, déjeuners sur l'herbe.

# Le bonheur et les plantes marécageuses

le bonheur flotte entre des instants de malheur quand il vient j'ai l'impression qu'il restera longtemps tellement la charge explosive qu'il contient me semble séduisante

tu arroses tes plantes tu t'attardes longuement sur la véranda en face du lac et tu sais que le matin sera bon le lac est d'un bleu intense les voiliers voguent paisiblement il n'y a pas de vent les grands iris blancs s'essoufflent les lys oranges se penchent et la chatte miaule parce qu'elle veut sortir c'est un matin comme un autre mais le bonheur est là debout près d'une chaise abandonnée dans le jardin tu chéris le temps l'espace de la solitude le regard des plantes qui t'observent et te soulèvent d'envie

un matin de bonheur dure le temps d'y penser de le voir s'approcher à pas de loup et s'éloigner mollement roulant sa boule comme un ours qui traverse la cour un ours aux pattes feutrées il se promène dans ta tête et tu fermes la barrière les framboisiers rougissent au soleil et tu penses aux froids de janvier au givre sur les marches de l'escalier à la neige fondante qui suivra un bonheur d'été loin de la mer en pleine forêt une corneille interrompt ta rêverie le bonheur ne rêve pas il n'en a pas l'énergie au réveil tu sais qu'il s'enfuira à la première mention de son nom vaut mieux ne pas y penser tu allonges tes bras tu étires le jour les géraniums sourient quenouilles graminées roseaux longent le marais tout près de la maison, un marais d'eau douce comme on en voit sur les rivages du Haut-Saint-Laurent

tu fais le tour de tes cactus dont tu ne connais que les noms vernaculaires repérés dans un manuel sur la flore américaine agave barbe de vieillard chaîne de cœur langue de femme cactus araignée cactus de Noël cactus à perles plante caillou tu les tiens bien au chaud dans ta serre tu te méfies des piquants pour les adoucir tu leur parles en espagnol un son de guitare ils aiment les boléros mexicains pleins de romances de chagrins d'amour d'hommes trompés de femmes jalouses et de désespoir tes cactus dansent entre eux sautent d'un pot à l'autre il faut mettre des gants blancs pour les transplanter une épine de cactus sur l'index une goutte de sang s'échappe dégoutte ça te plaît un capricieux n'aime pas qu'on le touche

mémoires de déserts de Californie de palmes si hautes dans le ciel que tu ne les vois pas

•

un jour, un long voyage en autobus au bout du monde avec deux femmes peintres le long des Andes en route vers le désert d'Atacama une sécheresse indicible un malaise entre les femmes des flamants rose pâle aux pattes jaunes dans des lacs de sel un clic une photo de *National Geographic* nous avons marché toute une journée dans la vallée de la Lune l'une derrière l'autre sans parler seules le sable la pierre le ciel tout autour un goût de souffre sur les lèvres une certaine aigreur dans la transparence de l'air

•

ta pupille se ferme glisse sur l'eau se courbe sous la vague causée par une embarcation au loin pas si loin tu nages à la surface un roseau pensant le frottement de la fraîcheur de la nuit sur ta peau tes pensées tranquillement dormantes sur la chute du lit le bonheur de l'eau vient seul sans accompagnement sans bruit tu n'entends plus les mots ne disent rien au fond du lac quelques algues s'enroulent autour des jambes

•

ce jour-là, le soleil s'était interrompu au-dessus de nos têtes tu craignais de manquer d'eau ta bouteille à demi vide elles parlaient entre elles t'ignoraient allongeaient le pas devant toi tu contemplais la courbe des rochers rouges séchés par le vent tu t'épuisais dans ces parages seule la mort aride semble invitante une aire de repos l'illusion d'un temps d'arrêt d'une brise de la poudre aux yeux le sable s'infiltre dans les narines entre les orteils cache tes élans de vie tu étouffes un haut-le-cœur sueurs dans le cou

•

l'aube se lève sur le ravin tu reconnais l'odeur des sapins derrière la rangée de grands conifères tu connais le charme des bois une nature resserrée prisonnière enchevêtrée enroulée tes mains saisissent le lierre la vigne s'agrippent tombent de plaisir tu ris à gorge déployée se pourrait-il que le bonheur existe à la limite des traînées de peines défraîchies que l'on charrie jour après jour que l'on conserve comme de vieux vêtements qu'on a aimés

•

maintenant, les deux femmes traînent les pieds devant moi n'osent plus se toucher attendant impatiemment que la journée s'achève une bière qui nous attend à l'auberge une douche froide
finalement assises tout près de moi jasant comme si de rien n'était heureuses de se trouver là débarrassées de la chaleur des jeans délavés prêtes à reprendre l'autocar dès le lendemain soulagées elles ont l'air de m'aimer

•

ce matin tu ne leur en veux plus images évanescentes teintées de rose de mauve de gris de turquoise

•

dans sa maison de Valparaiso, l'une d'elles peint la couleur du désert elle accroche à ses toiles des morceaux de céramique et de verre ramassés dans les escaliers de la ville y collent des pièces de tissus effilochés recyclent des roches minuscules assemblées telle une suite de tatouages empilés les uns sur les autres

•

un matin de bonne heure instants de désert et de marécages mémoire du temps aujourd'hui le souvenir te comble petits pincements au cœur petites joies le café est froid il faut rejoindre les autres oublier les fleurs séchées qui traînent sur le balcon le vent les chassera

# Léanne à l'école

*« Let's face it, graduate theses don't have much to offer, percentage-wise. » (Words of a tattooist)*

MARGO DE MELLO, *Bodies of Inscription.*
*A cultural history of the modern*
*tattoo community.*

Léanne est étudiante en anthropologie et vient de décider d'écrire son mémoire de maîtrise sur l'art du tatouage. Elle sait très bien que la culture populaire fait dorénavant partie du discours académique et ne se pose aucune question sur la pertinence de son sujet. Elle fait des recherches sur les traditions indigènes qui l'ont toujours fascinée, de l'Amazonie à la Nouvelle-Zélande, de l'Afrique du Nord au Japon, de l'Inde aux Philippines. Elle veut réécrire l'histoire du tatouage. En fait, elle travaille sur son histoire.

Dès le départ, le projet s'avéra d'une envergure considérable et elle choisit de se concentrer sur une population ou un corpus plus accessible, ses compagnons de classe, ses amis, les amis de ses amis et leurs connaissances, enfin tous ceux qui autour d'elle avaient choisi de se tatouer le corps, et ils étaient de plus en plus nombreux.

Il faut tout de même faire scientifique, établir des critères d'analyse, justifier l'approche, proposer une hypothèse de travail. Ayant délimité l'âge de ses spécimens, entre vingt et trente ans, elle s'attarde maintenant sur le pourquoi, le où, le comment, les motifs, l'avant et l'après, la question identitaire, les résistances, le sexe, le lieu privilégié, la notion de marque, le temporaire et le permanent. La seule question qu'elle ne se pose pas, c'est de savoir pourquoi elle-même refuse l'encre et l'aiguille avec acharnement, pourquoi elle se trouve personnellement plus belle ainsi.

Elle croit fermement qu'il y a une distance entre ce qu'elle étudie, ce sur quoi elle travaille et ce en quoi elle croit ou ce qu'elle pense en son for intérieur. Léanne s'illusionne. Elle croit qu'elle a une âme de guerrière mais elle ne veut pas le montrer. Ses yeux bleus affichent une certaine douceur, une tendresse même, son teint pâle inspire confiance, le ton de sa voix est presque éteint, ses gestes ne sont jamais brusques. Elle fait attention.

Elle prépare des entrevues et compile les informations. Elle cherche une piste qui lui permettrait de penser tous ses sujets de façon homogène. Même si elle considère le tatouage comme l'art du siècle, elle n'élimine pas le contexte de déviation qui a toujours entouré la pratique. Elle n'a aucun préjugé, oh non ! Elle aime tout le monde et tout le monde l'aime, indépendamment du vécu, de la classe ou de l'apparence. Elle se veut neutre, accueillante, affectueuse, intéressée, curieuse.

Léanne écoute les commentaires enregistrés sur des cassettes numérotées mais la mémoire des visages lui fait défaut, ce qui l'embête. Elle aime les concordances. Selon elle, les tatouages les plus fins devraient appartenir aux jeunes femmes aux poitrines délicates, aux hanches minces, aux corps sans surcharge qui présentent un dos en escarpement, glissant, invitant. Le contraire s'avère tout aussi vrai. Elle côtoie des hommes avec une hirondelle sur l'épaule et des filles avec le nom de l'amant inscrit gros comme le bras sur l'épaule ou sur le poignet. Elle développe des théories qu'elle récuse au fur et à mesure que ses dossiers s'accumulent.

Néanmoins, elle s'acharne à classifier, mettre de l'ordre dans ses notes. Elle consulte les travaux les plus récents pour se convaincre de quelque chose. Elle s'exaspère. Barbara, sa directrice, lui parle des femmes du Yoruba qui se dessinent la peau pour affirmer leur beauté et leur bravoure. Si elles s'avèrent capables de tolérer la douleur des incisions dans lesquelles on insère un pigment de charbon de bois, on les juge alors assez fortes pour enfanter, données qui s'avèrent totalement inutiles pour Léanne. Aujourd'hui, les jeunes femmes qu'elle rencontre n'ont plus besoin de convaincre personne de leur capacité de reproduction. Elles ne veulent pas d'enfants. La beauté est dans le geste. Ce n'est plus une question de courage, mais de défi.

Le défi de Léanne réside dans un face-à-ace avec son miroir. Elle se déshabille, explore sa toute petite cicatrice au bas du ventre, là où l'utérus devrait se loger, et trace une ligne noire avec un crayon-feutre. Faudrait-il y insérer de l'encre pour que le souvenir surgisse sous la plume ? Elle ne sait trop où elle va, ce qu'elle cherche. Tout est affaire d'identité et de reconnaissance, songe-t-elle. Toute trace, volontaire ou non, s'installe dans le corps, un parasite grugeant les tissus qui s'agrippent autour de la cicatrice. Marquée pour la vie. Rien ne s'efface. Elle se rhabille avec un grand soupir.

Le projet n'avance guère. Elle lit beaucoup, écrit peu. Elle persiste. Elle accumule dans un grand cahier les photographies qu'elle a prises de toutes ces parties de corps bleuies sous l'épiderme. Tous ces corps étrangers, autant d'énigmes à déchiffrer. Elle aime, elle n'aime pas. Elle se prend à rejeter certains dessins au nom d'une certaine barbarie, d'une forme de primitivisme qui la rend mal à l'aise. Elle s'éloigne de son objectif. Le point de mire dévie. Ses observations défigurent le réel qu'elle capte de moins en moins clairement.

Léanne a beau se dire que rien n'est fixe, que le mouvement traverse les lignes du corps et de la pensée, la vue de toutes ces images déformantes imprègne irrémédiablement son imaginaire devenu insaisissable. Elle tergiverse, modifie les codes d'interprétation, elle perd le nord. Le temps fuit. Sur son calendrier, elle a reproduit quelques images, comme pour se convaincre de leur beauté, pour se rappeler les échéances. L'été est presque fini. Le soleil diminue et laisse des ombres par-ci par-là sans que Léanne n'y puisse rien. Les jours raccourcissent, la perspective change, la mire s'efface. Contre-jour, à contrecœur.

Moi, si j'étais Léanne, je ne compterais plus les heures. Je me laisserais séduire par la courbe, le reflet, l'impression, le trait, je réinventerais mon corps, je trébucherais sur les images, certes, j'en ferais un casse-tête, une pièce baroque, je multiplierais les illusions, j'affronterais la coupure, je réfléchirais, j'apprendrais le dessin, je percerais le cadre, je prolongerais le souffle de l'aiguille pour que la nuit s'étire, me rejoigne, me parle pour que plus rien n'étouffe le désir. Pour l'amour, je plongerais dans l'encrier, je m'adonnerais à l'art du coloriage.

# La passion du tango

Le premier soir, je ne vois rien. Tes manches sont relevées mais je ne vois ni l'aigle sur ton bras droit ni la fleur sur ton poignet gauche. Je me sens tomber en amour. Coup de foudre. Je te demande si tu désires un enfant, un autre, de moi. Nous parlons de mille choses, de la distance, de nos deux pays, de tes enfants, de nos défaites.

Le lendemain, je te demande si tu voudrais effacer ces tatouages que je n'aime pas. Par amour. Tu réponds non, ce sont des cicatrices de pilote de brousse, des blessures de guerre. Tu ajoutes, moi, je ne demande rien.

La troisième nuit, ça n'a plus vraiment d'importance. Tu dis que je m'accroche encore et encore aux taches d'encre ici et là, vulnérable, bête, je sais, marques bleu vert d'un passé qui m'échappe, qui s'infiltre sous l'épiderme. Identités surfaites, initiales à peine visibles. Dialogues inutiles. Sous la couverture, ton sexe me cherche, me trouve, complaisante, prête à tout, conciliante. Je ne sais que l'humeur des petits matins. Je ne sens que la fumée qui pénètre les draps.

Tu pars. J'oublie. La permanence de toute marque me trouble. Marquée au fer. Mon œil ne peut faire autrement. Il regarde, même quand tu n'es plus là. Il s'inquiète, voyage, vagabonde, s'égare. Dans la nuit glaciale de janvier, je me reprends, nous reprends, nous imagine, de A à Z. Tu me couvres de tes bras pour me réchauffer, bien sûr, pour afficher les graffitis les codes d'avant pour briser le temps qui nous sépare pour provoquer le rire les plaisanteries. Je me tracasse pour des riens pour des images insignifiantes je parle sans arrêt je lèche le blanc de ta peau une petite minoune en train de laver ses plaies. Une histoire d'amour cachée sans raison apparente pour ne pas s'en faire pour avorter le récit interrompre le battement du cœur le flot du désir l'éclairage d'une chambre noire le flash le son de l'hiver. La douceur d'un homme tatoué sur l'édredon blanc envahit la mémoire brise le refus une vague un mouvement de l'aile auquel je ne suis pas habituée et je contemple ce corps maigre étampé au dedans comme au dehors je renifle j'avoue m'y perdre.

Lire ton écriture à blanc, déchiffrer tes plages en accordéon, lire entre les coups de crayon, refaire la route qui mène à mon exil, te rattraper, toujours au vol, sans que nous n'y puissions rien.

Tu déteins sur moi papier buvard un fleuve coulissant un fleuve d'argent comme on dit *Río de la Plata* mer d'eaux douces et d'eaux salées une fugue une chute heureuse épuisante enlevante un tango évanescent. Entre Buenos Aires et Montevideo, une longue attente, des souvenirs qui s'accumulent, une série d'inquiétudes, des gaz lacrymogènes, un mouvement, une déroute.

Le premier soir, nous faisons semblant de danser brèves ondulations descentes de la main une tête qui cajole un sourire en gondole un geste de la hanche une sorte de perversion et je ne vois rien d'autre que le picotement de la chair. Premier tango. L'air de rien, Piazzola prend toute la place.

Tu ne bois que du café. Dompter les insomnies, dis-tu. Je te parle d'elle, de son indomptable fureur d'être de sa rage de mon impuissance à la contenir de mon amour de femme de mes impossibles de la trahison de l'ennui. Tendrement, tu écoutes. Je me laisse prendre au charme de tes syllabes de ton rythme immensément lent et saccadé de ta voix rugueuse de tes mains pulpeuses et je l'évacue elle n'est plus là mais je parle d'elle à travers moi à travers mes rêves d'une fille qui viendra combler le vide. Tu me le promets déjà, que tu m'aimeras pour longtemps, de mille en mille d'hier à aujourd'hui d'ici à jamais. Je la sais tout près, entre nous, épiant, guettant, condamnant d'avance la survie, l'étreinte, l'autre. Elle m'épuise. Je refuse d'y penser.

La première nuit, nous ne dormons pas. L'espace se referme sur nous pleine lune une certaine folie une soif intarissable et des baisers comme des abreuvoirs une vulve humide abondante juteuse se frotte frôle sa joie ma joie s'étend une plaine de neige une plainte de bandonéon.

Je ne t'aime pas encore mais presque. J'imagine une suite un enchaînement d'émotions un échange lourd de conséquences. Sous la douche, le savon glisse entre les seins, le pied s'agite, la main tremble un peu.

Les premières heures s'envolent. Le poème surgit au milieu d'une pause désincarnée attentive au moindre sursaut je me demande ce qu'il adviendra de nous de cette nuit blanche de mon Argentine du reflet de la lumière sur tes tatouages de filou de tes lettres de ma jouissance.

# Repères bibliographiques

Les textes suivants ont déjà été publiés dans des versions différentes :
- « Bar Teca », *XYZ. La revue de la nouvelle*, n° 103, 2010 ;
- « Le printemps de Prague », *XYZ. La revue de la nouvelle*, n° 86, 2006 ;
- « La fiction d'Angéline », E.D. Blodgett et Claudine Potvin, *Relire Angéline de Montbrun au tournant du siècle*, Québec, Nota bene, 2006, p. 431-438 ;
- « Une enfant inutile », *XYZ. La revue de la nouvelle*, n° 83, 2005 ;
- « Nature morte », *Pornographies*, Québec, L'instant même, 2002.

# Table

GARANT DES FORÊTS
INTACTES

Cet ouvrage composé en New Baskerville
a été achevé d'imprimer en septembre deux mille quatorze
sur les presses de

imprimerie **gauvin**

Gatineau (Québec), Canada.

MIXTE
Papier issu de
sources responsables
FSC® C100212